D1224630

GUILLAUME DE DOLE
OU
LE ROMAN DE LA ROSE

Dans la même collection:

Suite en fin de volume

TRADUCTION DES CLASSIQUES FRANÇAIS
DU MOYEN AGE

sous la direction de Jean Dufournet

27

JEAN RENART

GUILLAUME DE DOLE
OU
LE ROMAN DE LA ROSE

Traduit en français moderne
par Jean DUFOURNET, Jacques KOOIJMAN,
René MENAGE et Christine TRONC

Deuxième édition revue et corrigée
avec un dossier
par Jean Dufournet

PARIS
HONORÉ CHAMPION ÉDITEUR
7, QUAI MALAQUAIS (VIᵉ)
1999

Diffusion hors France: Editions Slatkine, Genève

L'auteur qui a fait de ce conte un roman où il a transcrit de beaux chants afin que demeure le souvenir des chansons courtoises, veut que sa réputation et sa gloire atteignent le pays de Reims en Champagne et parviennent jusqu'au beau Milon de Nanteuil, l'un des hommes valeureux de ce siècle. Car, comme on imprègne de teinture rouge les vêtements pour qu'on les admire et les prise, ainsi a-t-il inséré des chansons et leur musique dans ce *Roman de la Rose*. C'est une œuvre originale, si différente des autres, si bien tissée çà et là de beaux vers, qu'un rustre ne saurait l'apprécier. Soyez persuadés de cette vérité : ce roman surclasse tous les autres. On ne se lassera jamais de l'entendre, car, à son gré, on y chante et on y lit, et il est écrit avec un tel souci de plaire qu'il réjouira tous ceux qui l'entendent chanter et lire : il leur paraîtra toujours nouveau. C'est une histoire d'armes et d'amours qu'il chante en même temps, et chacun pense que le romancier a pu lui-même composer le texte des chansons, tellement elles s'accordent bien au récit.

Voici le commencement de l'histoire.

Dans l'Empire, placé depuis longtemps, comme le dit le conte, sous la souveraineté des Allemands, il y eut jadis un empereur. De son père qui avait été empereur avant lui, il tenait le nom de Conrad. Les gens lui reconnaissaient une très grande valeur. La journée ne me suffirait pas pour faire son portrait, j'en serais incapable. Jamais, pendant le grand siège de Troie, il n'y eut d'homme doué de si bonnes qualités ; il haïssait le hideux péché tout autant que de manger devant le feu en été. Depuis l'instant de sa naissance, jamais personne ne l'entendit prononcer jurement grossier ni méchant reproche. Il se comporta vraiment en roi plein de sagesse : il respecta, dans ses décisions et ses lois, tous les droits de ses sujets ; il ne refusa jamais la justice à personne, pauvre ou riche. Sa courtoisie et sa sagesse s'accordaient bien avec la hauteur de son rang. Pour chasser en rivière ou en forêt, il était le plus compétent. A lui seul il valait plus qu'un boisseau des princes qui lui ont succédé. La lance au poing, le bouclier au cou, il l'emportait sur tous ses ennemis, et jamais il n'aurait recouru pour sa guerre aux arbalétriers : c'est l'avarice et la couardise qui poussent maintenant les grands à les utiliser ; quand bien même on lui eût donné la moitié du trésor de Rome, il n'aurait pas voulu, à tort ou à raison, qu'un seul de ses hommes tuât de cette arme un homme de bien, fût-ce son ennemi personnel. Il portait sur une moitié de son écu les armes du noble comte de Clermont, et sur l'autre un lion dressé, d'or sur champ d'azur (1). Il était plus hardi qu'un léopard, lorsqu'il était en armes, le bouclier au bras.

Et savez-vous ce que j'apprécie le plus en lui ? Qu'il rendît la justice ou s'abandonnât à la joie, il avait un tel sens de la mesure que l'on n'aurait jamais pu déceler en lui le moindre excès. Sa générosité faisait oublier la grandeur et la noblesse de son rang, et il était plein de délicatesse, de douceur et d'attentions. Si un gentilhomme s'en remettait à lui dans une affaire où il était impliqué, l'empereur n'aurait jamais accepté, quand bien même on lui eût donné mille marcs d'or, de prononcer un jugement injuste. Il ne s'abandonnait pas facilement à la haine, ni ne cédait à l'amour au détriment de son honneur. Lorsqu'il savait qu'un vieux vavasseur ou une veuve souffraient de la pauvreté, il leur ouvrait sa main, leur donnait vêtements et richesse. La seule fortune qu'il tenait à posséder, c'était d'avoir autour de lui de nombreux chevaliers à qui il prodiguait cadeaux, vêtements de soie et destriers. Tous les jours, été comme hiver, il tenait cour plénière, où chacun, à sa manière, jouait son rôle. Il ne laissait passer sur ses terres aucun bon chevalier sans le retenir à son service ou lui donner, selon sa valeur, terre ou châteaux. Il n'avait pas besoin d'autres machines pour faire la guerre. Ils portaient pour lui lances et bannières au départ de l'armée ; ils prenaient les hautes tours, brûlaient les grands châteaux sans utiliser contre les assiégés d'autres machines qu'eux-mêmes : ils auraient préféré manger avec leurs dents les défenses des murs. Leur seigneur avait toute confiance en eux : il n'aurait jamais assiégé une place sans la prendre, une fois l'affaire entreprise. Voilà le trésor que doit amasser un roi,

---

(1) Nous avons adopté, pour le vers 71, la correction de Fourrier, nous mettons donc un point après *contremont* et après *d'autre part.* et nous lisons : *...d'or et d'azur ot d'autre part.* (*Mélanges R. Lejeune*, Gembloux, 1969, t. II, pp. 1211-1226).

pour peu qu'il existe. Détruire et vaincre ses ennemis, les mettre à ses pieds, il savait fort bien le faire. Il n'était pas encore marié, alors qu'il l'eût été très rapidement selon les vœux de ses sujets, et tous ses grands vassaux en parlaient très souvent entre eux :

"Si ce valeureux prince, le meilleur de tous, meurt sans héritier, c'en est fini de nous !"

Il leur revenait tout naturellement à l'esprit qu'il avait été élevé avec eux et les avait couverts d'honneurs et de biens : s'il mourait sans héritier, rien ne pourrait jamais leur rendre la joie. C'est pourquoi les plus grands princes de son royaume l'avaient souvent entretenu de ce sujet ; mais la jeunesse qui bouillonnait dans ses veines l'empêchait de se rendre à leurs raisons.

Il s'occupait plutôt de faire dresser des tentes et abris de toutes dimensions en été, quand la saison était propice aux plaisirs des prés et des bois. Sans délai, on quittait les cités pour s'ébattre dans les forêts profondes. A trois ou quatre journées de voyage, il n'était comte, comtesse, châtelain, duchesse, qu'il n'envoyât chercher, non plus qu'à sept jours de cheval, vavasseur de gros village. Il se souciait de la dépense comme d'une guigne pourvu que l'on accomplît ses désirs, car il voulait que l'on en parlât, une fois qu'il serait mort. Avec ses compagnons, il se livrait à des jeux agréables et raffinés, recherchait les occasions qui permettaient à chacun de se faire une amie. Soyez persuadés qu'il ne manquera pas d'en avoir une lui-même, quoi qu'il puisse faire. Le bon roi, le noble et généreux prince connaissait tous les tours de l'amour.

Au matin, quand le jour paraissait, les archers, de sa tente, venaient crier :

"Debout, seigneurs, nous devons aller au bois !"

Si vous aviez alors entendu sonner les cors pour réveiller les chevaliers ! Aux vieux chenus qui s'attardaient au lit, Conrad faisait donner un arc : à vrai dire, depuis le temps du roi Marc, jamais empereur ne sut mieux débarrasser les tentes des fâcheux. Comme il était très habile et avisé, il faisait distribuer aux jaloux et aux envieux des cors et des épieux, et, les accompagnant jusqu'au bois de peur qu'ils ne revinssent, il priait les uns de rabattre le gibier avec des archers et les autres de les suivre avec les limiers dressés à lever les cerfs. Il procurait à chacun tant d'occupations différentes que tous s'estimaient satisfaits. Une

fois qu'ils étaient mis en chemin et entrés dans les profondeurs
de la forêt, aussitôt l'empereur, par une vieille piste forestière,
s'en retournait vers son plaisir favori, en riant avec deux
chevaliers.

Cependant, ses vaillants compagnons d'armes, brisés de
fatigue par leurs exploits, dorment sous les charmes dans de
grandes tentes en étoffe de soie. Jamais à vrai dire, en aucun lieu
je ne verrai gens si heureux ni tant de dames serrées en leurs
vêtements - beaux corps en robes plissées, cheveux blonds
ondulés, diadèmes d'or ornés de rubis éclatants. Et ces comtesses
habillées de samit et de brocart impérial, sans manteau pour
dissimuler la beauté de leur corps ! Et ces jeunes filles vêtues de
soie légère, portant des guirlandes tressées de beaux oiseaux et de
fleurettes ! Leur corps svelte, leur poitrine menue les font
admirer de bien des hommes. Elles étaient, de surcroît, fort bien
parées de fines ceintures et de gants blancs. Tout en chantant,
elles se rendent dans les tentes jonchées de verdure vers les
chevaliers qui les attendent, et qui leur tendent les bras et les
mains et les entraînent sous les couvertures. Qui a jamais livré de
tels combats peut bien savoir quel bonheur ils éprouvèrent. Au
diable le retard de ceux qui étaient allés au bois !

Et l'empereur, au grand galop, a déjà regagné sa tente, près
des siens qui ont en tête d'autres pensées que ceux qu'il a laissés
au bois. D'un seul élan, il se précipite dans une tente en disant :
"Allons, chevaliers, sus aux dames !" Comme ils ne songent pas
à leurs âmes, il se passent de cloches, d'églises (dont ils n'ont
guère besoin), de chapelains que remplacent les oiseaux. Tous
prennent bien du bon temps. Dieu ! que de beaux chants, que de
beaux poèmes l'on échangea sur les somptueux coussins et les
lits luxueux avant qu'il ne fût matin ! Et quand approcha l'heure
du lever, vous auriez pu voir les gens se parer de soie, d'étoffe de
Damas, de brocart d'or orné d'oiseaux, de tuniques et de
manteaux aux fourrures neuves habilement travaillées - hermine
et petit-gris en chevrons, ou noire zibeline à la suave odeur.
Aujourd'hui on ne trouverait pas d'êtres si beaux, si bien parés.

L'empereur ne voulut pas éclipser les autres par la richesse
de ses vêtements faits de deux soies dont les bandes alternaient.
Mais savez-vous ce qui rehaussait l'éclat de sa toilette ? Une
jeune fille y attacha de ses propres mains un joli ruban qu'elle
prit parmi les lacets de sa chemise blanche (cent fois heureuse

soit la jolie main qui le disposa !) puis elle remplaça par une ceinturette blanche la ceinture de l'empereur. Qu'elle garde précieusement celle-ci, la vaillante, la noble jeune fille, car, sans compter l'or, les pierres, les émeraudes vertes comme le lierre, valent bien, à prix d'ami, quarante marcs. Béni soit un tel empereur !

Quand, vers neuf heures, ils furent levés, ils s'en allèrent folâtrer un long moment dans le bois, pieds nus, manches flottantes, si bien qu'ils parvinrent jusqu'aux îles formées par les sources qui jaillissaient tout près du lieu où ils s'étaient installés pour leur partie de campagne. Par groupe de deux, de trois, de sept ou de huit, ils s'assirent pour se laver les mains. L'endroit, loin d'être désagréable, était vert comme il peut l'être en été, dans un foisonnement de petites fleurs bleues et blanches. Avant de coudre leurs manches, ils lavèrent leurs yeux et leurs beaux visages. Les demoiselles de compagnie, à ce que je crois, leur préparèrent fil et pelotes qu'elles portaient dans leurs aumônières. Je ne vois rien qui puisse leur manquer. Aux dames, ils empruntèrent, en guise de serviettes, leurs blanches chemises et profitèrent de l'occasion pour poser la main sur mainte blanche cuisse. Je ne dis pas que celui qui demande davantage puisse prétendre être courtois. Mais voici que le repas et les vivres sont apprêtés, les nappes étalées. Les dames ont pris le chemin du retour, en compagnie des chevaliers qui, faisant fi de toute fausse pudeur comme d'une queue de violette, chantent cette chansonnette :

"Si je n'obtiens pas son amour, seigneur,
je l'ai rencontré, Dieu, pour mon malheur."

Avant même la fin de cette chanson, un autre chevalier de la troupe entonne :

"Là-bas, sous la ramure,
- ainsi doit aller qui aime -
claire jaillit la source
           y a !
- ainsi doit aller qui belle amie a."

Mais, avant qu'elle ne fût bien engagée, une jeune fille aux cheveux blonds, qui avait retroussé sa très belle tunique, reprit à son tour :

"Si mon amoureux m'a laissée,
pour autant pas n'en mourrai."

Cette chanson n'était pas terminée qu'une noble dame, la sœur du duc de Mayence, commença d'une voix forte, claire et pure :

> *"Au matin se leva belle Aélis,*
> *dormez, jaloux, je vous en prie,*
> *bien se para, mieux encor se vêtit*
>   *sous la ramure.*
> *Toute gracieuse je vois venir*
>   *celle que j'aime."*

Et le noble comte de Savoie reprit à la suite :

> *"Au matin se leva belle Aélis,*
> *toute gracieuse la vois venir,*
> *bien se para, mieux encor se vêtit*
>   *en mai.*
> *Dormez, jaloux, moi je m'amuserai."*

Et le comte de Luxembourg, alors plein d'un amour profond pour une dame délicieuse qui chantait en mimant mieux que personne avant elle, commença pour l'amour d'elle :

> *"Tout là-bas, parmi les glaïeuls,*
> *- gardez-moi, dame, gardez-moi -*
> *Une source y jaillissait*
>   *Aé !*
> *- gardez-moi, dame, je souffre d'amour.*

C'est en chantant de cette façon qu'ils ont tous regagné les tentes où l'on était bien car le sol avait été jonché d'herbe fraîche par ceux qui en étaient chargés ; ils les avaient aussi bien parées et apprêtées, après avoir rangé coussins et matelas, ainsi que les tapis pour que l'on ait plus de place. Il y avait là des jeunes gens en grand nombre qui leur ont apporté l'eau, car le repas était prêt, les tables dressées et recouvertes de belles nappes.

Chevaliers, demoiselles et dames prirent place les uns à côté des autres. Conrad ne se conduisit pas en suzerain, puisque guidé par sa profonde sagesse, sa valeur, sa bonté et sa générosité, il s'assit beaucoup plus bas qu'il ne le devait, par un geste d'exquise délicatesse, et il céda la première place au vieux duc de Genève qui portait au cou de riches peaux de martre.

Je crois bien que l'évêque de Chartres aurait préféré participer à cette fête plutôt qu'à un synode, car chacun y guérit et soigna ses yeux à contempler ces merveilles : tant de beaux

visages lumineux, au doux ovale si bien dessiné, et de beaux
sourcils arqués, et de blondes têtes, et de beaux corps !

Quand le comte de Sagremor eut achevé une chansonnette,
on leur servit des mets savoureux et sains, du vin clair et frais de
la Moselle dans de la vaisselle neuve, des pâtés de chevreau et, en
grande quantité, des morceaux de chevreuil, de cerf et de daim,
piqués de lard, et des fromages crémeux et nourrissants de la
vallée de Clermont : il n'était nulle nourriture, pour peu qu'elle
fût agréable en été, dont il n'y eût à profusion, au gré de chacun.

Pas un chevalier qui ne se réjouît de la gaieté de l'empereur
et il était normal qu'à ce spectacle la joie de chacun augmentât,
car jamais plus noble créature ne participa à un repas. S'il n'avait
tenu qu'à lui, il ne se serait jamais occupé que d'armes et
d'amour ; et il avait tant d'autres qualités que jamais tel baron ne
vécut, si du moins son pareil existe. Il était ravi de voir réunis
tant de demoiselles et tant de dames et tant de valeureux et beaux
chevaliers de sa terre et de son royaume.

Les serviteurs, habitués à desservir, quand ils virent que
plus personne ne mangeait, s'acquittèrent de leur tâche avec
beaucoup d'élégance. Les jeunes seigneurs se précipitèrent sur les
bassines et présentèrent l'eau. Sachez qu'ils furent nombreux à
s'empresser pour tenir les manches au bon roi, et en particulier
les dames aux mains blanches, si agréables à l'œil. Quand on eut
présenté l'eau à la première, puis à ceux et celles qui le
souhaitaient, les belles dames drapèrent dans leurs manteaux
leurs beaux corps, et les jeux de la fête commencèrent alors au
son des instruments.

Ce fut aussitôt après, je crois, que les veneurs, les chasseurs
et les chevaliers qui, le matin, étaient partis chasser pour se
divertir, revinrent par trois ou quatre voies différentes, parmi les
sonneries de trompes, leurs montures chargées d'un abondant
gibier - chevreuils, biches, et cerfs bien en chair. Quand le bruit
des cors se rapprocha en même temps que les gens qui portaient
les bons morceaux au bout de branches ou les corps des cerfs
bien encornés, alors il n'y eut personne, grand ou petit, qui ne
sortît des tentes pour aller à la rencontre de ceux qui, ce jour-là,
avaient ôté la vie à mainte biche. Et tous de dire qu'ils
regrettaient fort de n'y être point allés.

Ceux qui avaient battu les fourrés s'en revenaient tout
hirsutes, et les veneurs étaient dépenaillés dans de grossières

capes de drap gris qui avaient plus d'un an, les pieds chaussés de
vieilles bottes rouges et raides, montés sur des roussins rétifs,
incapables d'aller l'amble et ensanglantés jusqu'aux jarrets. A
leur suite, les braques qu'ils tenaient en laisse. Ils ne portaient ni
filets ni lacets, mais c'est à force qu'ils avaient pris trois cerfs sans
compter que les archers avaient tué ceux qui passèrent à leur
portée, au total plus de vingt, et des biches, des chevreuils, des
lièvres et des renards qui avaient volé plus d'un chapon près des
jardins de maître Constant. Les cuisiniers firent décharger la
venaison et l'emportèrent pour la cuire. Tous ceux qui avaient
été au bois mouraient de faim ; aussi les sénéchaux ont-ils hâté
(1) la préparation du repas. Tandis que l'empereur s'informait
auprès des veneurs, nos dames et demoiselles retournèrent aux
tentes se distraire en compagnie de ceux qui ne voulaient pas
contredire les chasseurs qui débitaient leurs mensonges. On
aurait cru rêver, à entendre leurs merveilleux exploits. L'empereur rit de leurs hâbleries, mais n'est-ce pas une habitude de ces
gens-là ?

      Vers quatre heures, le repas, magnifique et fin, était cuit et à
point. Il y avait nombre de serviteurs adroits et compétents dans
le service de la cour ; et au moment où il fut question de remettre
les nappes, il ne manqua pas de gens qualifiés, car il y avait
beaucoup de jeunes gens et de valets. A tous il proposèrent l'eau
dans des bassines et des coupes d'argent. On leur donna
exactement les mêmes places qu'au dîner ; quant à ceux qui
revenaient de la chasse en forêt, ils s'assirent tous ensemble,
moins difficiles que les autres pour la nourriture, au point de
prendre tant de tous les plats qu'il est impossible d'en faire le
compte. On ne méprisa pas nos chasseurs en leur offrant au
premier service du bœuf à l'ail, mariné au verjus, et puis des
oisons et de la panade. Certains des galants en auraient bien
mangé, je le crois, mais à la place ils durent se contenter de leur
amour. Quant aux bons morceaux et à la venaison, il y en avait
tant que personne n'en manqua, si humble fût-il. Mais savez-
vous de quoi ils sont privés ? Ils ignorent les difficultés de la vie,
tellement ils sont bien pourvus par le roi.

---

(1) Faut-il traduire *ont ... hasté ... lor vïande* par « ont embroché les morceaux de
    venaison » ?

Une fois qu'ils eurent mangé à leur faim et bu à leur suffisance - et non pas du vin rouge ordinaire (1) - une fois les nappes enlevées, ils se levèrent tous de table pour aller jouer au tric-trac. Trois chevaliers, de leur côté, jouèrent aux dés, à enjeu égal sans dépasser six deniers, tandis que d'autres se sont mis qui aux échecs, qui à la mine. D'une tente à l'autre jouaient des vielleurs revêtus d'hermine. Les dames et les compagnons de l'empereur sortirent. La main dans la main, sans manteau sur leur corps svelte, devant la tente royale, dans un pré vert, demoiselles et jeunes seigneurs ont, quant à eux, commencé la danse. Une dame, vêtue d'une robe écarlate, s'est avancée pour chanter cette première chanson :

"Tout là-bas, au milieu des prés
- Vous ne ressentez pas les maux d'amour -
Les dames y vont pour danser,
*   surveillez vos bras !*
- Vous ne ressentez pas les maux d'amour
*   comme je le fais !"*

Un jeune homme, attaché au prévôt de Spire, à son tour chante cette chanson qui n'est pas moins jolie :

"C'est là-bas sous l'olivier
que Robin conduit sa mie.
L'eau de la source y sourd pure
*   sous l'olivette.*
Ah, mon Dieu ! Robin conduit
*   belle Mariette."*

La chanson n'avait pas duré trois tours de danse que le fils du comte de Dabo, qui était féru de chevalerie, reprit d'une voix pure :

"Au matin se levait Aélis,
*   j'ai nom Amelot.*
Bien se para et bien se vêtit
*   sous la Roche Guyon.*
A qui donnerai-je mon amour,
*   Amie, sinon à vous ?"*

---

(1) A propos de l'expression *rouge vin a tostees* au V. 494, voir l'édition de R. Lejeune. Paris. 1936. p. 137 : *"Une tostée était une tranche de pain rôti trempé dans du vin. Le vin destiné à cet usage n'était pas de qualité supérieure, d'où l'exclamation ironique de Jean Renart. On sait que, dans plusieurs textes, la tostée, considérée avec défaveur, est employée comme terme de mépris."*

Et la duchesse d'Autriche qui était si belle que l'on ne parlait que d'elle, commença à son tour cette chanson :

"Au matin se leva belle Aélis,
par là va Robin le brun, le joli.
Bien se para, mieux encor se vêtit.
Foulez la feuille, je cueillerai la fleur.
Par là va Robin le bel amoureux,
et l'herbe en est plus douce devenue."

Ils ont tant chanté de Robin et d'Aélis qu'ils ont prolongé les danses jusqu'au coucher. Si le seigneur Eudes de Ronquerolles avait rencontré un tel roi, on eût été au comble de la joie chevaleresque. Mais l'époque est ainsi faite que l'on ne trouve personne pour bien agir : c'est pourquoi, aujourd'hui, la chevalerie se flétrit et disparaît.

Cette période de fête et de détente dura plus de quinze jours. Quand les hôtes rassemblés par le roi voulurent retourner chez eux, vint le moment des beaux présents, des riches cadeaux et des joyaux de toute sorte qu'il donna à chacun et à chacune. Il n'y eut pas une dame, ni une jeune fille de quelque prix, à qui il ne fît un don, et il entoura chacune d'elles de tant d'honneur qu'il acquit sa faveur et son amour. Bien digne de régner est le roi qui sait obtenir et gagner l'affection et le cœur de ses sujets.

Conrad réunissait des assemblées afin d'y voir tous ses barons. Il n'était pas, à ce qu'il me semble, de ces rois ni de ces barons qui, maintenant, accordent à leur valetaille rentes et prévôtés, menant ainsi à la ruine leurs terres et eux-mêmes, se couvrant de honte et déshonorant le monde entier, et qui, par leur attitude, écartent les gens de bien pour honorer les gens de rien. Pour un prince, c'est bien mal agir que de déléguer ses pouvoirs à un vilain car celui-ci restera toujours un vilain, quelque dignité qu'il obtienne. Notre empereur, qui était un homme de bien, ne cessa jamais d'être hostile aux vilains, choisissant ses baillis parmi les vavasseurs qui aimaient Dieu et redoutaient le déshonneur, et qui tenaient à son honneur et à ses intérêts plus qu'à la prunelle de leurs yeux. L'empereur préférait que les vilains et les bourgeois fissent fructifier leur avoir plutôt que de le leur prendre pour en constituer un trésor, parce qu'il savait bien que lorsqu'il en avait besoin, tout lui revenait. C'était une preuve de sagesse, car tout était à sa disposition, intérêts et capital dont les bourgeois n'étaient que les dépositaires, bien que, riches et renommés, ils fussent à la tête de grandes affaires. Dans toutes les foires où ils se rendaient, ils ne trouvaient de belle marchandise ni de beau cheval sans les acheter pour les offrir à l'empereur. Ces dons lui étaient plus profitables qu'aucun impôt. Il n'accepta jamais qu'aucun marchand, dépendant de lui ou étranger, fût inquiété sur sa terre pour quelque affaire ou quelque guerre que ce fût. Il avait fait crever les yeux à tant de brigands, il avait fait pendre tant de voleurs que chacun traversait son royaume aussi sûrement qu'une église. Le prince mérite bien de vivre et de régner quand il gouverne si sagement son royaume.

Or il arriva que le comte de Gueldre fût en guerre avec le duc de Bavière qui, pour rien au monde ni pour aucune prière, ne voulait accepter de trêve. L'empereur vint en aide au comte, il réconcilia les adversaires et fit tant que le duc accorda au comte le baiser de paix, mais ce ne fut pas sans peine. Pour un homme de bien, c'est vraiment faire son devoir que de s'efforcer de rétablir la paix par tous les moyens.

Un jour que Conrad, revenant vers l'un de ses châteaux sur le Rhin, s'était levé de bonne heure et que la chaleur, vers neuf heures, devenait plus forte, comme il chevauchait depuis longtemps, sachez qu'il commença à s'ennuyer. Il fit appeler par un jeune vassal un vielleur qu'il avait à son service et qu'à la cour on appelait Jouglet. Savant et réputé, celui-ci avait entendu et retenu mainte chanson et maint beau conte. A l'appel du jeune vassal qui était le fils d'un comte, il finit par venir auprès de l'empereur qui lui dit :

"Est-ce par orgueil ou par mélancolie que tu hais tant ma compagnie ? Maudit soit ton maître, moi excepté !",(1)

En riant, il saisit le cheval de Jouglet par le frein et tous deux quittèrent le chemin.

"Sans conteste, reprit Conrad, j'ai aujourd'hui grand sommeil. Raconte-moi donc, cher ami, une histoire qui puisse me réveiller."

---

(1) Cf. F. Lecoy, dans *Romania*, t. 82, 1961, p. 247 : "...*La formule employée par l'empereur dans notre roman est une formule plaisante, une formule bien dans le ton aimablement ironique adopté par le souverain à l'égard de son compagnon et qui, par sa touche de parodie légère, met en valeur le ton faussement grandiloquent de l'exclamation.*"

Et il passa en riant le bras gauche autour de l'épaule de Jouglet qui commença ainsi :

"Ne croyez pas que je vous raconte une fable : voici une étrange aventure que m'a racontée un jeune homme originaire du pays où elle arriva. En Champagne vivait un chevalier hardi et valeureux, beau et gracieux, d'une conduite irréprochable. Il aimait une dame qui habitait en Ile-de-France, dans la marche du Perthois : il n'aurait jamais renoncé à lui rendre visite, quelle que soit la proposition qu'on lui fît. Il n'est aucun chevalier qui, aimé d'elle, ne se fût jugé plus heureux qu'un roi. Mais la beauté et la valeur du chevalier de Barrois, à leur apogée, n'étaient rien, soyez-en convaincu, comparées à celles de notre héros."

L'empereur de s'exclamer :

"Désormais je n'aurai plus envie de dormir. Si le saint Esprit l'avait voulu, j'aurais bien donné cinq cents marcs, j'aurais accepté que cette nuit, avant mon retour, mon château fût complètement incendié pour rencontrer un homme tel que celui-là, la ville entière dût-elle brûler (1). Dieu ! comme je lui serais dévoué corps et âme ! La dame n'était pas dépourvue d'ami avec un homme aussi hardi et aussi valeureux. Je t'en prie, Jouglet, poursuis ton conte pour me dire si la dame était aussi belle que son ami était vaillant. A mon avis, ce serait vraiment merveilleux."

Jouglet répondit :

"Comme je vous le dis, le chevalier avait beaucoup de qualités, mais ce n'était rien auprès de celle dont je commence à décrire la beauté : ses cheveux blonds tombaient en longues boucles autour de son visage qui avait la couleur du lis et de la rose, car le blanc s'alliait délicatement au rose. Nature se joua de toutes les difficultés, la faisant si belle que l'on n'aurait pu trouver sa pareille dans le monde entier jusqu'à Tudèle. Elle avait de beaux yeux vifs, plus limpides que le rubis, des sourcils arqués, longs, finement dessinés, espacés - c'est la stricte vérité -, des dents et un nez faits de main de maître."

_____

(1) Nous modifions la ponctuation de l'édition F. Lecoy, et mettons un point après le vers 683.

(Ce n'est pas d'aujourd'hui qu'il a appris son métier, le poète capable de faire un si beau portrait).

"Son visage était modeste et franc, sa poitrine blanche ainsi que son cou. Il n'y en avait pas d'aussi belle jusqu'à Dol. Elle avait un corps gracieux, de beaux bras, de belles mains. Impossible d'être grossier, pour peu que l'on fût en sa compagnie, tant elle était pleine de délicatesse et de sagesse, sans parler de son exceptionnelle beauté. Oui, je l'affirme : elle était bien telle que je la décris.

– Prends donc, dit l'empereur, ce manteau gris ; vraiment, tu l'as bien mérité. J'accepterais d'être blessé - à condition toutefois de ne pas perdre la vie - pour savoir s'il existe encore en France une telle dame et un tel chevalier. Que jamais Dieu ne me conduise dans sa demeure (pour le cas où je le mériterai) si, sachant où se trouve ce chevalier, je ne mettais en route dès demain un messager pour aller le chercher. Et s'il souhaitait de l'argent, une terre, un bon seigneur et un bon ami, il aurait vite fait de les trouver chez moi. De la dame, je ne veux rien dire : je disparaîtrai sans connaître (1) une telle amie, car en mon royaume il n'existe pas sa pareille.

– Vous tenez d'étranges propos, répondit Jouglet, car, pour courageux que soit le chevalier et pour belle que soit la demoiselle, on peut trouver quelque part une femme aussi belle et un homme aussi courageux. J'ajouterai même que j'en connais une qui possède toutes les beautés dont j'ai pourvu mon héroïne : c'est l'avis de tous ceux qui la voient. Je sais quel est son nom, et que son frère est renommé et encore plus valeureux que celui dont je viens de vous parler, doué pourtant de si grandes qualités.

– Mon cher Jouglet, sachez-le : si je puis être assuré de ce que vous avancez, Dieu vous a fait naître sous une bonne étoile car ma reconnaissance sera éternelle, aussi vrai que je jouis de mes deux yeux, si je connais grâce à vous la maison et la terre où demeure cet homme si courageux et si beau. Possède-t-il une cité ou un château ? Quelle peut être sa fortune ?"

_____

(1)   Ou « si je ne connais ».

Jouglet répondit :

"Avec le revenu de sa terre, il n'a jamais pu entretenir six écuyers, depuis qu'il a été fait chevalier ; pourtant, été comme hiver, en tout temps, il porte des fourrures de petit-gris et de vair, et il est suivi de deux compagnons, car son extraordinaire valeur, son renom, sa générosité et son courage le pourvoient et l'aident si bien qu'il a suffisamment de terre et de richesses.

– Dieu l'a comblé de tous ses dons les plus précieux, dit l'empereur. Bienheureuse doit être la mère qui a porté un si noble fils. On aurait raison de me mépriser si je ne faisais de lui mon compagnon. Dis-moi donc comment il se nomme.

– Tous les habitants du pays l'appellent Guillaume de Dole, bien qu'il ne soit pas maître de la ville.

– Pourquoi utilise-t-il donc ce nom ?

– Parce qu'il habite tout près, dans un manoir. Dole donne à son surnom plus d'éclat que le nom d'un simple village : c'est de sa part bon sens plus que tromperie.

– C'est juste, dit l'empereur. Et comment se nomme sa sœur qui est si belle et si gracieuse ?

– Sire, elle s'appelle Liénor, tel est le nom de la demoiselle."

De l'étincelle de ce beau nom, Amour a embrasé le cœur de l'empereur. Désormais, c'est sûr, toutes les autres femmes ne présenteront plus aucun intérêt pour lui, au regard de celle-ci.

"Béni soit celui qui trouva ce nom et le prêtre qui en fut le parrain ! Il serait archevêque de Reims, si j'étais Roi de France.

– Maintenant, dit Jouglet, il ne reste plus qu'à vous unir rapidement l'un à l'autre !

– Avec l'aide de Dieu, décris-moi encore la beauté de la jeune fille."

Jouglet se rend bien compte que Liénor plaît déjà à l'empereur sur la simple foi de son récit et, à regarder son attitude, il lui semble qu'il l'aime déjà.

"Jouglet, reprend l'empereur, dis-moi seulement ce que tu sais, ni plus ni moins. La moitié de sa beauté est suffisante pour faire d'elle la suzeraine d'un empire ou d'un royaume, si tu m'as dit la vérité."

Le ménestrel lui a alors fort bien décrit la noble et distinguée jeune fille.

"Ah ! mon Dieu, comme elle est née sous d'heureux auspices, et encore plus celui qu'elle aimera ! Pour le moment, il s'agit de savoir qui, dès le matin, ira chercher son frère que je m'engage à servir de mon cœur et de mon bras."

Alors Jouglet, qui était sage et avisé, lui dit en riant :

"A vrai dire, il se contentera du bras, car il n'en demande pas tant ; et c'est Liénor aux cheveux blonds qui aura le cœur, si vous m'en croyez."

Avec un rire, l'empereur rétorqua :

"Canaille, tu as l'esprit bien mal tourné. Alors tu t'imagines que je m'intéresse moins au frère qu'à la sœur ? Ni pour mon royaume ni pour mon honneur il ne serait convenable qu'elle devînt mon amie ; mais, puisque c'est impossible, je veux du moins rêver à elle. D'ailleurs, elle vient de nous faire passer une délicieuse journée, qu'elle en soit louée !

– Je vais interrompre ici notre histoire, retenez bien l'endroit où je m'arrête. Il est grand temps maintenant de rejoindre la troupe de nos compagnons.

– Tu as raison, piquons des deux."

Et ils chantent cette chanson en l'honneur de Messire Gace Brulé :

"Quand fanent les fleurs, les glaïeuls et la verdure,
et que les oiseaux n'osent plus lancer leur note,
le froid plonge chacun dans la crainte et l'angoisse
jusqu'à l'été qu'ils aimaient tant à chanter.
C'est pourquoi je chante, ne pouvant l'oublier,
mon bel amour - Dieu le fasse source de joie -
car de lui naissent toutes mes pensées."

Avant qu'ils ne l'eussent achevée, le gros de la troupe était déjà au château et installé. L'empereur, fort réputé autour de lui pour sa valeur chevaleresque, à son tour entra rapidement au château, à la tête d'une suite imposante. Par une porte en cyprès, ils arrivent au palais et descendent de cheval, attendus par les sénéchaux qui préparent l'eau et étendent les nappes, sans faire trop de cérémonies, tout en apportant le nécessaire. L'empereur alla se coucher, dès qu'il put le faire et que ses nombreux compagnons furent partis.

Par Jouglet à qui il avait donné son vêtement en pleine campagne, il fit appeler un clerc et apporter de l'encre, du parchemin et tout le matériel pour écrire une lettre. Tous trois se retirèrent dans la penderie où Jouglet délesta l'empereur de sa tunique, assortie au manteau qu'il avait déjà obtenu - tandis qu'avec beaucoup d'habileté, le clerc rédigeait la lettre exactement comme le souhaitait le prince qui y fit apposer son sceau d'or.

Ensuite, il fit venir un jeune homme du nom de Nicole :

"Porte cette lettre de ma part, dit-il, à messire Guillaume de Dole."

J'ignore si cette mission lui déplaisait ; en tout cas, il répondit :

"Volontiers, sire.

– Sais-tu, ajouta l'empereur, ce que contient cette lettre ? Que je sollicite et prie Guillaume, dès qu'il aura entendu ce message, de monter à cheval et de me rejoindre directement, par la foi qu'il me doit ; et s'il participe à un tournoi ou à une guerre, recherche-le sans t'arrêter, dût-il t'en coûter ton cheval, jusqu'à ce que tu l'aies trouvé et que tu lui aies montré ma lettre. Mets tout ton zèle à achever cette affaire."

L'empereur a commandé de donner au messager deux marcs en estrelins pour ses frais, ou plus s'il le souhaite ; il lui ordonne ensuite d'aller se coucher et de se lever tôt pour chevaucher à la fraîche : ce sera la meilleure conduite à tenir. Notre homme, pour porter les messages, était bien plus expert qu'un bœuf pour labourer. Pour son voyage, il se leva de bonne heure, s'habilla, mit ses bottes, se prépara, monta sur son cheval et partit, faisant le signe de la croix en passant la porte. Par la suite, je n'ai jamais demandé où il avait passé la première nuit, mais ce que je sais, c'est qu'il souffrit beaucoup d'aller seul vers le manoir.

Quant à l'empereur, qui dormait encore lorsqu'il l'avait laissé, le matin, à son lever, il fit ouvrir une fenêtre. De ses rayons éclatants le soleil le plus brillant illumina son lit que recouvrait, brochée de roses d'or, une couverture de zibeline et de soie. Plein d'amour pour la belle Liénor dont le nom occupait son cœur, il commença cette chanson :

"Le temps nouveau, le mois de mai, la violette,
le rossignol m'incitent à chanter ;
mon cœur loyal me fait d'une amourette
le doux présent que je n'ose refuser.
Dieu puisse m'accorder le grand honneur
de tenir toute nue entre mes bras
celle qui a pris mon cœur et ma pensée
avant que je parte outremer !"

C'est ainsi qu'en chantant il trouvait le réconfort, tandis que le messager qui, par la grand-route, chevauchait à bride abattue vers Dole, s'était levé si tôt, quand il avait vu ce qu'il avait à faire, qu'en moins de huit jours, il parvint à la demeure de messire Guillaume de Dole.

La renommée qui court le monde l'a conduit tout droit au manoir. A grand trot, et non pas l'échine basse, il pénètre dans le bourg par la grand-porte, muni du sceau d'or. Il n'avait rien d'un novice ; aussi se procura-t-il un logis avant de s'occuper de quoi que ce soit. Bien installé et son cheval pansé, il ôta ses bottes et mit d'autres chaussures. Après que la fille de son hôte lui eut donné une couronne de fleurs et de feuilles de menthe, il prit sa boîte, en retira la lettre et se rendit à la cour de Guillaume.

A un valet qui courait tenant en laisse un magnifique lévrier, il demanda ce que l'on y faisait ; l'autre lui répondit que l'on allait passer à table.

"J'aurais intérêt à me presser", se dit alors le messager qui arrangea et ajusta avec soin sa toilette, tout en montant vers la grand-salle. Le seigneur venait d'arriver de Rougemont où il avait participé à un grand tournoi ; des chevaliers et beaucoup d'autres personnes se pressaient dans cette salle.

Nicole s'approcha d'un jeune homme à qui il demanda de lui montrer son seigneur, avant qu'il ne commençât son repas. Il le lui désigna du doigt, et le messager de se diriger vers lui, mais afin de ne pas passer pour un écervelé, il ôta son manteau, car il ne convient pas de le garder :

"L'empereur d'Allemagne qui vous envoie cette lettre, vous adresse, seigneur, mille saluts, en signe d'amitié et d'estime. Sachez qu'il meurt de désir de vous voir bientôt."

Guillaume lui répondit avec beaucoup de courtoisie :

'Frère, que Dieu donne à l'empereur tout le bonheur et toute la gloire que mon cœur lui souhaite ! Par Dieu, que devient donc mon seigneur ? Il y a bien longtemps que je ne l'ai vu.

— Je l'ai laissé en parfaite santé, Dieu merci.

— Certes répondit Guillaume, j'en suis ravi."

Les chevaliers et l'assistance regardèrent longuement le sceau car, parmi eux, beaucoup n'en avaient jamais vu de semblable.

Guillaume reprit :

"Allez à son hôtel et veillez à ce qu'il soit bien hébergé."

Avant de briser le sceau, il se rendit dans la chambre de sa mère :

"Voyez, madame, dit-il, l'empereur m'a envoyé ce sceau en or ; j'ignore encore ce que contient ce pli, mais je le saurai bientôt."

Avec son couteau, il rabattit le sceau et retira le parchemin. A sa sœur la belle Liénor, il donna l'or pour qu'elle en fît une broche. A la vue du beau cheval qui y était frappé et que montait un roi en armes,

"Ah ! madame, dit-elle, que Dieu m'assiste, je dois être bien heureuse d'avoir un roi dans ma compagnie."

Messire Guillaume se mit à rire :

"S'il plaît à Dieu et au Saint Esprit, il vous en viendra beaucoup d'honneur, fit la mère, c'est sûr : mon cœur me l'a toujours prédit."

Un des chevaliers de Guillaume lui lut la lettre, après l'avoir parcourue :

"L'empereur vous salue, il vous mande ensuite et vous prie de venir directement auprès de lui, dès que vous aurez pris connaissance de cette lettre, sans chercher aucune excuse pour obtenir un délai ou régler une affaire urgente, car il ne sera heureux que lorsqu'il vous verra.

— Mon fils, dit la mère, vous irez. C'est un grand honneur que vous fait l'empereur en vous mandant avec tant de courtoisie.

— Madame, nous mangerons d'abord et puis nous aviserons."

L'on présenta l'eau dans la salle et les chevaliers s'assirent. Guillaume, qui connaissait toutes les règles du savoir-vivre sans les avoir apprises, prit avec lui l'envoyé de l'empereur, qui était de fort bonne famille, et ils allèrent s'asseoir à l'écart à l'un des bouts de la table. A ce repas, on servit viande et poissons à profusion.

"Cher ami, dit Guillaume, vous avez souvent été mieux servi. C'est à contrecœur que vous mangeriez cette nourriture de vassal pauvre, si vous étiez chez l'empereur.

— Sire, dit Nicole, c'est certain ; mais ce que nous avons à souhait, c'est du gibier nauséabond - sanglier ou cerf qui n'est pas bon à manger - ou des pâtés vieux et moisis : quand les souris les dédaignent, on les donne aux écuyers.

— Mon Dieu, dit Guillaume à ses chevaliers, je croyais que nous irions chasser et que nous passerions huit jours pleins à nous reposer sans bouger. Mais voilà que je dois de toute nécessité m'équiper sans délai pour partir dès demain, sous peine d'être mal vu à la cour.

— C'est la stricte vérité, dit Nicole, et non une parole en l'air. Ordonnez donc d'ôter cette table et faisons nos préparatifs si bien que tout soit prêt dès ce soir, car il faudra partir de bon matin.

— Frère, répondit Guillaume, c'est juste."

Alors il s'est levé de table ainsi que tous les autres. Tandis que le messager, qui n'était pas né d'hier, se rendait sur-le-champ (1) auprès de son cheval pie pour voir s'il avait à manger, Guillaume, de son côté, alla dans la chambre de sa mère qui l'aimait beaucoup, afin de lui parler. Elle commença par lui demander quels gens il emmènerait avec lui.

"Madame, répondit-il, il faut pour ce voyage des gens agréables. Que je sache, je n'emmènerai avec moi que deux compagnons."

Et il les lui nomma : il pensait qu'ils lui feraient honneur dans la maison de l'empereur, car ils étaient vaillants, plaisants, et ils n'étaient plus tout jeunes, ayant chacun dépassé la trentaine.

---

(1) Sur le sens de l'expression *triez un triez autre*, voir F. Lecoy, *art. cit.*, pp. 247-249 : « On voudra bien noter que *un* et *autre* sont ici des neutres (et non des masculins)... ».

"Cher fils, dit-elle, il faut vous en occuper et veiller que rien ne vous manque, afin que l'on ne dise pas en Allemagne, une fois que vous serez à la cour, que vous êtes pauvre et dénué de tout."

Sa sœur, la belle Liénor dit :

"Voici, pour l'habiller, trois ensembles neufs suspendus à cette perche. Qu'il fasse placer près de son écu le cheval du comte de Perche."

Guillaume, qui avait triomphé dans de nombreux combats, fit appeler ses compagnons :

"Ma mère et moi étions en train de dire que vous viendriez tous les deux avec moi. Songez donc à préparer dès maintenant vos armes et votre équipement.

– Nous avons de beaux boucliers tout neufs, des selles et d'élégants harnais ornés. De tout le mois vous ne trouverez pas trois chevaliers aussi bien équipés."

L'envoyé de l'empereur, qui n'avait rien d'un sot, était revenu dans la grand-salle, tandis que messire Guillaume sortait avec ses compagnons de la chambre de sa mère. Vers le messager qui était entré dans les appartements, Guillaume se dirigea tout seul en souriant :

"Quels piètres divertissements je vous ai procurés aujourd'hui ! Mais c'est de votre faute. Toutefois, j'ai tant pressé les préparatifs que demain nous pourrons partir de bon matin. Venez, fait-il, donnez-moi la main, je vais vous montrer mon trésor."

Ce sont sa mère et la belle Liénor qu'il l'emmène voir dans leur chambre. Je vous l'affirme : il lui a accordé une faveur exceptionnelle, car jamais plus le messager n'entrera dans une chambre de dame ou de jeune fille où il découvre une femme si belle. Il salue Liénor, elle lui répond, et les deux hommes s'asseyent. La belle aux cheveux d'or s'assied à leurs côtés, toute remplie de modestie, sans le moindre orgueil (1). Sur une grande courtepointe, sa mère travaillait à une étole.

"Voyez, cher ami Nicole, fait Guillaume, quelle ouvrière est ma mère. C'est une femme merveilleuse, très experte en cet art.

---

(1) Ou : « avec sa mise simple et peu ornée » (J. Monfrin).

Manipules, ornements d'église, chasubles, belles aubes dorées : toutes deux y ont souvent travaillé. Frère, c'est à la fois une œuvre de charité et un divertissement. Ma mère les donne aux églises très pauvres dépourvues d'ornements et de richesses."

Et celle-ci de dire :

"Que Dieu m'accorde joie et bonheur, pour moi et pour mes enfants ! C'est la prière que je lui fais chaque jour.

– C'est une bonne prière, dit Nicole.

– Mère, intervint Guillaume, chantez-nous donc une chanson, vous me ferez plaisir."

Elle chantait à la perfection, sans se faire prier. "Mon cher fils, au temps jadis, les dames et les reines avaient l'habitude de coudre leurs rideaux en chantant des chansons de toile (1).

– Ah ! vraiment, ma très douce dame, dites-nous-en une, s'il vous plaît, par la foi que vous me devez.

– Mon cher fils, vous m'avez si bien priée que je ne manquerai pas à mon devoir, dans la mesure où je puis le faire."

Alors elle commença d'une voix pure et claire :

"Fille et mère sont en train de broder,
d'un fil d'or tissant des croix dorées.
La noble mère se mit à parler.
De quel amour brûle Aude pour Doon !

"Apprenez, fille, à coudre et à filer
et à broder des croix d'or sur l'orfroi.
L'amour de Doon, il faut l'oublier."
De quel amour brûle Aude pour Doon !"

Quand elle eut terminé sa chanson, Nicole s'exclama :

"Ma foi, Madame votre mère s'est bien acquittée de sa tâche.

– A coup sûr, Nicole, mon cher frère, il n'en serait que mieux si ma sœur avait fait de même."

Liénor sourit avec grâce, persuadée qu'elle ne peut se dérober, si elle veut acquiescer à la prière de son frère.

---

(1) Ou : « chansons d'histoire ».

"Ma chère fille, dit la mère, il vous faut fêter et honorer le messager de l'empereur.

— Madame, c'est de bon cœur que je le ferai."

Elle commença alors cette chanson :

"Assise aux pieds de sa dure maîtresse,
Sur ses genoux étoffe d'Angleterre,
Aÿe au fil coud d'une main légère.
Hélas ! amour venu d'autre pays,
Mon cœur avez enchaîné et conquis !

Les larmes vont brûlant sa face claire,
Soir et matin, on la bat, la pauvrette,
Parce qu'elle aime un guerrier d'autre terre.
Hélas ! amour venu d'autre pays,
Mon cœur avez enchaîné et surpris."

Quand elle eut chanté à voix claire, elle dit :

"Maintenant, ne me demandez plus rien !

— Je ne le ferai pas, ma chère sœur, si la générosité de votre cœur ne vous invite à nous accorder cette grâce.

— Vous ne sauriez rien demander que je ne le fasse (1) ; c'est pourquoi (2) je chanterai encore", fit la belle dont les tresses blondes tombaient sur sa robe blanche.

Alors elle commença d'une voix haute et pure :

"Belle Doette, assise au vent,
Sous l'aubépine attend Doon.
De son ami qui est si lent
Elle se plaint et souvent on l'entend :
Dieu ! quel chevalier que Doon !
Dieu, quel homme ! Dieu, quel baron !
Jamais je n'aimerai que Doon.

Aubépine, que tu es chargée de fleurs !
Mon ami doit me trouver près de toi
Mais il ne veut venir à moi...

----

(1) Sur la traduction de ce vers, voir F. Lecoy, *art. cité*, pp. 249-252.

(2) « Et puisque vous le prenez comme cela (c'est-à-dire puisque vous ne me demandez rien, mais que vous vous en remettez à ma générosité naturelle)... » (F. Lecoy).

Dieu, quel chevalier que Doon !
Dieu, quel homme ! Dieu, quel baron !
Jamais je n'aimerai que Doon.''

Cette chanson achevée, elle ajouta :

"Il ne serait pas courtois de m'en demander davantage."

Le messager de l'empereur lui répondit :

"Vous avez raison : vous vous êtes acquis la gratitude, l'affection et la fidélité de vos amis (1)."

Le reste du jour se passa en divertissements jusqu'au souper.

Avant que l'incomparable Guillaume ne s'en retournât dans la grand-salle, la mère prit une aumônière et la sœur une très belle broche qu'elle donna au messager pour l'honneur de notre héros et le leur autant que par amour pour l'empereur. Il leur exprima sa vive reconnaissance, affirmant qu'il leur rendra au centuple ces beaux présents, si Dieu lui prête vie, pensant en lui-même qu'il n'avait jamais vu si bons enfants ni une telle mère et qu'il le ferait savoir à l'empereur.

Après qu'il eut aimablement pris congé, ils retournèrent dans la grand-salle où était apprêté le souper, riche de nombreux mets : flans au lait, porcelets farcis (fort abondants dans le château), tendres lapins, poulets bardés de lard dont il y avait à foison, poires et fromages à point.

"C'est tout ce que nous avons comme bons plats, frère, dit Guillaume, et je le regrette. Vous autres de la maison royale, vous ne connaissez pas ces mets campagnards.

– Il plaisante", disent ses compagnons.

Et le messager de répondre :

"Vous n'en verrez point d'autres chez l'empereur, qu'il me couvre de honte si je mens !"

Telles sont leurs plaisanteries et leurs distractions ; ils agrémentent le souper de beaux récits de chevalerie et d'amour. Quand on a de telles habitudes, on ne peut manquer de se distinguer.

_____

(1) Passage très douteux : nous avons, au vers 1223, corrigé : *et la querele de voz amis.*

Le moment venu, les sénéchaux font enlever les nappes, et plus de vingt valets s'empressent, les uns avec des bassins, les autres avec des serviettes. Tandis qu'écuyers et menue gent quittent la grand-salle et les appartements, Guillaume converse avec ceux de ses compagnons qui doivent rester : à chacun, selon son gré, il accorde objets de prix, chevaux et argent. Ils ont sur-le-champ préparé leur voyage, avant d'aller se coucher, en sorte qu'ils n'eurent plus qu'à se mettre en route le lendemain matin quand ils se levèrent.

Croyez-m'en : l'on versa bien des larmes quand ils partirent avec trois chevaux chargés de vêtements et d'armes, et de beaux destriers de grande valeur. Guillaume a pris congé de sa mère et de sa sœur avec beaucoup de courtoisie.

"Adieu, cher fils.
– Adieu, cher frère.
– Adieu, tous » dirent-elles, à leur départ.

Tous ceux qui restaient, soyez-en sûrs, s'associèrent à leurs pleurs. Maintenant les voici en route, Dieu les protège !

Chevauchant aux côtés de Nicole, le noble Guillaume sort du bourg fortifié, laissant dans une profonde tristesse sa mère et sa sœur qui était plus svelte qu'un surgeon et plus fraîche qu'une rose. Bien que, pour dormir ou se reposer, il ne s'arrête qu'une nuit dans chaque village, sans se délasser ni se distraire, les longues journées lui semblent encore trop courtes.

Le jour même où ils devaient arriver à la cour, ses compagnons et lui - le cœur réjoui par la joie que les oiseaux manifestaient chacun dans son buisson - ont entonné cette chanson :

"Lorsque les jours sont longs en mai,
j'aime le chant de l'oiseau lointain.
Et quand j'ai quitté cette terre,
je me souviens d'un amour lointain.
Je m'en vais pensif, tête basse,
au point que chants et aubépines
ne sont pour moi qu'hiver glacé."

Nicole, qui était un homme fort précieux, dit, la chanson terminée :

"Nous serons bientôt arrivés ; il faut que je prenne les devants pour faire préparer notre logis.

– Je n'y vois rien à redire ; prenez avec vous un de mes compagnons, qui reviendra à notre rencontre.

– Venez avec moi", dit Nicole à un jeune homme qui, sur sa selle, portait une courtepointe tournée à l'envers et qui était réputé pour sa beauté.

Tous deux s'en vont au grand galop jusqu'au château où l'empereur avait séjourné depuis que le messager était parti à la recherche de notre héros. Depuis ce jour, le prince, pour chevaucher, ne s'était jamais éloigné de plus d'une lieue ; il s'était fait saigner dans sa résidence où il vivait, entouré de peu de gens, qui n'étaient pas importuns, et Jouglet ne le quittait pas, qui lui rappelait son bonheur. Ah ! mon Dieu, comme il cherche à détourner sa pensée de ce qui obsède son cœur ! Ce jour-là il faisait chanter par la sœur (1) d'un jongleur très habile ces vers de Gerbert :

"Lorsque Fromont injuria le Veneur,
le bon prévôt, présent à toute la scène,
attendit la fin de l'altercation, appuyé sur la poignée de sa
                                                              lance.
Quand il vit Fromont, il ne le salua pas.
"Fromont, dit-il, je suis de l'autre camp.
Gerbert, mon seigneur, m'a envoyé vers vous
pour vous demander par ma bouche, je ne vous le cacherai
                                                              pas,
de lui envoyer Fouques que je vois là-bas
et Rocelin, car il les a tous deux faits prisonniers.
S'ils le nient, il y aura quelqu'un pour en faire la preuve
en toute cour où on les trouvera
ou à la tienne, si tu accordes un sauf-conduit."
Fouques rougit, Rocelin baissa la tête.
Malheur à qui d'un seul mot s'avisa !
Le vieux Fromont entra dans une grande colère :
"Par Dieu, prévôt, celui qui vous a envoyé ici
s'est bien habilement débarrassé de vous !
Si donc il vous a vu, il ne vous verra plus jamais,
et s'il vous revoit, il ne vous reconnaîtra pas.

_____

(1) La solution proposée par G. Franck (dans *Romanic Review*, t. 29, 1938, pp. 209-211) est différente : « Ce jour-là, la sœur de Guillaume faisait chanter un jongleur de grand talent qui interprète ces vers de Gerbert. »

Je me souviens encore, car jamais je ne l'oublierai,
d'un présent qu'un jour vous m'avez fait :
le roi de France m'avait, devant vous, donné
un cheval qui lui avait coûté cent livres ;
or vous l'avez tué, vous l'avez abattu raide mort.
A Gironville, au pied de notre pont,
un chevalier me donna un tel coup
sur le heaume qu'il le brisa
et je dus me raccrocher au cou de mon cheval."
Guiret reprit : "Fromont, écoutez bien,
c'est de mon fils que vous fîtes alors la connaissance ;
il aurait pu vous tuer, mais il vous épargna.
S'il en a l'occasion, il vous administrera d'autres coups..."

Pendant que l'on chante l'histoire de Fromont, voici le jeune homme qui monte l'escalier, après avoir retenu un logis pour le noble et valeureux chevalier, dans la plus belle maison de la place comme Guillaume le lui avait recommandé, dans un hôtel au haut pignon, percé de nombreuses fenêtres. Il avait fait joncher de verdure l'étage et tous les balcons. Guillaume et ses compagnons l'avaient suivi à si vive allure que les voici déjà au logis où régnait une intense activité. Tandis que tous trois descendent de cheval, Nicole se présente devant le roi qui demande :

"Quelles nouvelles m'apportes-tu ?

— Des nouvelles excellentes.

— As-tu trouvé messire Guillaume ?

— Oui, et je puis affirmer qu'il n'a pas son pareil dans le royaume de France.

— Ah ! mon Dieu, viendra-t-il au souper ?

— Ma foi, je n'ai rien entendu de tel ! Je l'ai déjà emmené à son logis, sur la place, chez un bourgeois."

Alors Jouglet se dressa aussitôt :

"Par Dieu, eh bien ! moi j'irai.

— Ah ! ah ! Jouglet, on va bien voir comment vous le saluerez de ma part. Le voici arrivé à bon port, dites-lui que je l'invite à souper."

Et Jouglet de s'en aller sans attendre, tandis que l'empereur prend Nicole à l'écart du côté de la chapelle :

"Nicolin, sur mon honneur, dis-moi donc, as-tu vu sa sœur ?

– Silence, répondit Nicole, plus un mot ! Personne, à moins d'être en état de grâce, ne doit parler d'une telle merveille qui n'a pas sa pareille en beauté ni en modestie. Quand elle chante, sa voix est la plus angélique des mélodies. Tous ceux qui l'entendent sont de cet avis.

– Qu'en sais-tu ?

– Je l'ai moi-même entendue."

Ces louanges de la jeune fille ne tombèrent pas dans l'oreille d'un sourd.

"Comment, dit l'empereur, peut-elle être aussi belle ?

– Oui, répondit l'autre, elle est vraiment belle, et non pas sur un seul point, mais sur tous : bras, corps, tête, visage. Je crois que la belle Liénor surpasse en beauté toutes les femmes comme l'or surclasse tous les autres métaux du monde.

– A ce que je vois, elle ne fait pas honte à son nom. Et qu'as-tu à me dire de son frère ? Je serais très heureux de le voir.

– Un très beau chevalier : poitrine solide, bras vigoureux, tête bouclée et blonde, beau visage long et régulier, yeux rieurs et francs, épaules larges comme il convient.

– C'est dans les romans que l'on trouve de tels chevaliers : s'il est bien ainsi, ce doit être par l'effet d'un enchantement.

– Vous serez de cet avis quand vous le verrez. Quoi qu'il en soit, il mène grand train dans son hôtel : si c'était le fait d'un grand seigneur, il y aurait là une véritable assemblée ; les chevaliers et les gens y sont si nombreux que l'on ne peut pas y bouger.

– Hé bien ! précipite-toi chez lui et fais préparer tout ce qu'il voudra. Je ne serai pas heureux tant qu'il ne sera pas venu."

Nicole s'en alla, laissant le roi fort joyeux, qui ne bougea pas afin de faire fête au valeureux jeune homme que Jouglet était parti chercher à son hôtel. Si sa sœur l'avait accompagné, la joie de l'empereur eût été à son comble. Elle était, cependant, si intense qu'il ne pouvait tenir en place. Poussé par la joie que faisait naître la venue du valeureux jeune homme, il commença aussitôt, pour la mieux manifester, à chanter la chanson de Renaut de Beaujeu, le bon chevalier de Champagne :

"Loyale amour logée en âme exquise
ne doit jamais s'en aller ni partir,
car la douleur qui l'étreint et la brise
semble douceur à qui peut en souffrir.
Nul bien d'amour n'est un petit plaisir,
mais tous sont doux pour qui les aime et prise,
chacun le doit comprendre et retenir.

Certains disent que la mort les a pris
par trop d'amour : ils ne font que mentir,
comme les amants trompeurs qui déguisent :
sévèrement puisse Dieu les punir !
S'il se trouvait qu'un homme en pût mourir,
au Jugement Dieu lui rendrait la vie.
Je loue Amour quand plus me fait souffrir."

N'ayez pas le moindre doute : l'empereur prend en patience toutes les peines. Parti à la recherche du noble chevalier, Jouglet, avant d'atteindre l'étage, une fois l'escalier gravi, s'écria :

"Dole ! Chevaliers ! A Guillaume ! Où se trouve la joie du royaume, son réconfort, son plus beau fleuron ?"

Guillaume se dressa d'un bond :

"Ah ! Jouglet, que se passe-t-il ? Comment allez-vous, mon cher ami ?"

Il lui jeta les bras autour du cou, lui manifestant une joie débordante. Et Jouglet de répondre sans plus attendre :

"Soyez le bienvenu ! Notre cher seigneur l'empereur vous adresse mille saluts ; je dois ajouter qu'il est fort désireux de vous voir, soyez-en persuadé."

Tous deux vont s'asseoir à l'écart, près d'une fenêtre, où Jouglet lui expose toute la situation, et lui relate l'affaire, lui expliquant comment l'histoire qu'il avait racontée avait amené le roi à faire rédiger la lettre et à l'envoyer chercher.

"Je ne vois pas ce que je pourrais ajouter, sinon que vous l'emportez sur tous et disposez de la cour."

De joie, sans tarder, Jouglet lui a mis autour du cou ses beaux bras, qui ne sont pas trop courts :

"Cher ami que j'embrasse, vous vous êtes levé sous une bonne étoile ! Si nous sommes restés longtemps dans ce château, c'est pour vous attendre.

– Grand merci, maintenant, je suis heureux de connaître la vérité et la raison pour laquelle le roi m'a fait appeler.

– Réjouissez-vous donc."

De son côté, Nicole, une fois de retour, fit préparer le repas : des rôtis et tous les mets que l'on put apprêter, de bons vins, des gâteaux fourrés. Le dîner prêt, on monta les plats. Messire Guillaume demanda que l'on appelât son hôte et sa femme. Jouglet intervint :

"Priez la dame d'amener avec elle sa fille qui s'habille et se pare fort joliment : dans cette ville, il n'en est pas qui la vaille."

Les serviteurs étendirent les nappes sur l'herbe fraîche et apportèrent de beaux coussins : l'on se lava les mains, puis l'on s'assit pour cette collation de chevaliers afin d'attendre plus commodément le grand repas du soir.

"Je crains, dit Jouglet, que ce retard ne déplaise à l'empereur."

Guillaume portait une robe neuve de drap fin, noire comme mûre, doublée de fine hermine qui dégageait un très délicat parfum et qu'il avait revêtue après le repas.

"Ah ! fit Jouglet, mon Dieu, voici une robe coupée à la française."

Le beau, le vaillant et noble Guillaume était si libéral que ses compagnons portaient aussi des doublures de queues d'hermine et de zibeline noire parfumée. Eudes de Rades de Crouci était bien moins élégant que chacun de ces trois jeunes gens, et pourtant il ne se privait de rien.

La jeune fille leur donna une couronne de magnifiques fleurs violettes ; le chambellan leur apporta des gants blancs et des ceintures neuves. Pendant qu'ils se paraient, on leur amena leurs chevaux, de grands destriers de valeur, bons et beaux, des chevaux espagnols dont le harnachement était en cuir de Limoges.

Comme ils descendaient de l'étage supérieur, l'hôtesse fit en sorte que sa fille qui était si belle pût contempler messire Guillaume : à cheval sur son grand destrier, il avait la fière prestance d'un seigneur.

"Jouglet, mon frère, fit-il, saute derrière moi, tu me feras plaisir."

La jeune fille s'exclama : "Jouglet, je ne vous aime plus, parce que vous n'avez pas chanté depuis que vous avez franchi cette porte.

– Fort bien parlé", dit messire Guillaume en souriant.

Jouglet répondit :

"Pardonnez-moi.

– Bien volontiers, si vous revenez cette nuit avec votre vielle.

– Avec plaisir, mademoiselle, si nous dansons la carole."

Elle les tient sous le charme de ses propos, immobiles sur le sol pavé. Leurs couronnes, soyez-en convaincus, leur plaisaient beaucoup. Leur maître avait placé son manteau de biais sur son bras gauche. Tandis que, dans la rue et dans la maison, tous les habitants le regardaient avec admiration, Jouglet lui chanta à l'oreille :

"A l'aube Aélis se leva.
Bonheur à qui a pris mon cœur !
Bien se vêtit, bien se para
A l'ombre des aulnes.
Bonheur à qui a pris mon cœur !
Il est loin de moi."

Ainsi parcourent-ils toute la rue. A plus d'un jet de pierre, les gens se levaient devant eux :

"Que Dieu vous donne aujourd'hui bonheur et chance", faisaient les bourgeois qui entre eux ajoutaient à voix basse :

"Ce ne sont pas des gens à brocarder."

Ainsi vont-ils sans plus attendre, au petit pas de leurs destriers. Il ne manqua pas de gens, sachez-le, pour leur tenir l'étrier lorsqu'ils mirent pied à terre. Quand le roi et ses gens virent de leur fenêtre le chevalier,

"Par tous les saints, fit Conrad, c'est sans doute la vérité que l'on dit de cet homme-là. Vous ne verrez pas avant la foire du Lendit, ajouta-t-il au comte du Forez, et de longtemps vous n'avez vu un chevalier qui fût aussi accompli."

Pour me résumer en quelques mots, depuis le temps de Pâris de Troie, jamais à la cour d'un empereur on n'avait reçu un chevalier avec tant d'honneur et tant de joie. Heureux qui a mérité un tel accueil !

"Cher ami, dit l'empereur Conrad, si je ne vous ai jamais vu, j'ai beaucoup désiré et vivement souhaité le bonheur de votre compagnie. Pour attendre votre venue, je suis resté ici quinze jours."

C'est un grand bien que d'aimer de tout son cœur, car on en devient beaucoup plus courtois.

Ils se dirigent vers la table en se tenant par la main, et les autres les suivent deux par deux. L'empereur voulut que Guillaume s'assît auprès de lui, mais il ne put s'y résoudre de peur que l'on ne remarquât dans sa présentation un manquement à la courtoisie. Il préféra s'asseoir avec ses compagnons, un peu plus bas que l'empereur. Celui-ci lui demanda s'il était un familier du roi d'Angleterre, qui avait été longtemps en guerre avec le roi de France.

Cette première rencontre manifesta l'exquise politesse de Guillaume. De la même manière, ses compagnons, bien au fait des usages, lièrent connaissance, pour leur part, avec la suite de l'empereur. Ah ! si l'étiquette l'eût permis, comme celui-ci eût volontiers bavardé ! Et non pas de la toiture d'églises ni de la construction de routes, mais de la vaillante et noble demoiselle pour qui il brûlait de désir.

Mais voici que survient Jouglet qui sait très bien reconnaître à son piétinement un bœuf fatigué (1) :

"Ce n'est pas de votre lignage, mais d'armes et d'amours qu'il faut parler, car lundi en quinze aura lieu le tournoi de Saint-Trond.

— Par Dieu, Jouglet, nous irons, répliqua aussitôt messire Guillaume. Il ne me manque qu'un heaume, car j'ai tout le reste de l'équipement que doit porter un chevalier : chausses, haubert, cotte de mailles légères, cheval hardi comme un lion, fort, rapide et vif.

— Je vous assure, affirma Jouglet, que nous saurons trouver un heaume.

— J'ai perdu le mien l'autre jour, lorsque je fus pris à Rougemont."

---

(1) On peut comprendre aussi le vers 1643 : « qui sait bien comment un bœuf fatigué marche quand·même. »

Le meilleur roi du monde intervint alors :

"Pour qu'il ne vous manque rien, je vous donnerai le heaume le meilleur de toute l'Allemagne et le plus élégant ; on l'a fabriqué à Senlis ; et je puis ajouter qu'avec les pierres précieuses de la calotte et l'or du nasal et du cercle, on aurait assez d'argent pour construire une haute tour."

Il ordonna alors à son chambellan, appelé Baudouin Flamand, de lui apporter le heaume qu'on lui avait remis depuis un certain temps avec le haubert de Chambly. Celui-là, exécutant l'ordre aussitôt, apporta sans perdre de temps le heaume qu'il retira de son étui et astiqua avec une serviette.

"Par Dieu, s'écria messire Guillaume, ce heaume est de toute beauté. Il n'en existe pas d'aussi beau en deux royaumes. Non, ce n'est pas le don d'un vavasseur, mais celui d'un empereur qui, par de tels présents, s'attache les jeunes nobles de sa terre."

Conrad le lui tendit par le nasal :

"Tenez, je vous ferai bien d'autres cadeaux.

— Seigneur, dit Guillaume, Dieu vous le rende !"

Tous ceux qui contemplent le heaume s'y reflètent comme dans un miroir.

"Maintenant, affirment les compagnons de Guillaume, nous ne pourrons prétexter le manque d'un heaume pour ne pas aller au tournoi."

Conrad ajouta :

"On le verra. Nous saurons bien qui, parmi les participants, emportera le prix."

Le serviteur a pris le heaume dont il avait longtemps assuré la garde, et l'a remis dans son étui quand on l'eut bien contemplé. Guillaume lui dit :

"Maintenant rangez-le. Cette nuit, vous m'accompagnerez et me l'apporterez quand je retournerai à mon logis."

Jamais personne ne fut aussi empressé que ces bons chevaliers le furent à lier connaissance avec messire Guillaume et ses deux compagnons.

Les serviteurs firent demander aux cuisiniers s'ils pouvaient mettre les nappes. Le repas étant tout prêt, il n'y eut plus qu'à passer à l'exécution. Sans le moindre retard, le roi se lava les mains et s'assit ainsi que les ducs et les comtes qui étaient au nombre de six. Près de lui, à ses côtés, il plaça son nouvel invité dont il ne fut séparé que par un seul comte. Je ne mentionne pas les autres convives qui appartenaient à la maison de l'empereur. Sur les mets et les cadeaux, inutile d'insister, car chacun eut ce qu'il désirait, sur-le-champ, sans que personne fût déçu.

A ce repas, on reparla longuement du tournoi. Certains, je vous l'assure, en dirent plus qu'ils n'en firent ensuite, ce qui est indigne d'un homme de bien. Messire Guillaume laissa les autres parler entre eux, sans dire un mot. L'empereur, qui l'aimait beaucoup, le regarda et s'aperçut qu'il pensait à autre chose. Effectivement, il songeait à remporter une victoire totale au tournoi pour faire honneur à son heaume neuf, quitte à s'infliger, en cas d'échec, une cruelle mortification.

Quand ils se furent levés de table, que l'empereur se fut lavé les mains, et que la foule des jeunes écuyers et des importuns eut quitté le palais si grand que l'on aurait pu y faire galoper un cheval, alors entrèrent les ménestrels. L'un joue d'un instrument, l'autre d'un autre, celui-ci raconte l'histoire de Perceval, celui-là la bataille de Roncevaux, tout en passant à travers les rangs des barons.

Notre Guillaume, qui n'était pas béjaune, savait fort bien répondre à ses interlocuteurs. Sans un mot, l'empereur le prit par la main et l'emmena, non pas pour entendre parler des exploits de Charlemagne, mais pour s'asseoir sur un lit où il passa toute la soirée à lui poser des questions. Mais à aucun moment il n'osa faire allusion à celles qui lui auraient procuré le plus grand plaisir, car il craignait d'éveiller les soupçons de Guillaume et de ses compagnons.

Jouglet leur a interprété des chansons et des fabliaux, trois ou quatre, je ne sais. Soucieux de distraire et d'égayer Guillaume, l'empereur tint à chanter cette chanson :

> *"Oh ! que le temps me dure*
> *de n'entendre chanter*
> *tourterelle au seuil de l'été*
> *comme à l'accoutumée ;*
> *mais un amour m'a égaré*
> *et tout désorienté,*

qui retient mes pensées
en quelque lieu que je m'en aille."

Ils se sont tant divertis et distraits sur la couverture de soie qu'ils jugent venu le moment du coucher. Mais le roi déclara :

"J'irai moi aussi, une fois que nous aurons pris congé, car il fait bon boire après avoir chanté."

L'on appela les échansons. Et voici que s'avance un chapelain tenant en sa main une coupe, telle une pierre précieuse enchâssée dans une monture d'or. Le frère de la belle Liénor but aussitôt après le roi. J'ignore qui fut le dernier, mais quand tous eurent bu, Guillaume a fait appeler Baudouin qui lui a apporté son heaume. L'empereur et Guillaume, se tenant par la main, se dirigèrent vers les chevaux, qui attendaient au pied de l'escalier.

"Que la mort prenne, dit le roi, celui qui ne dormira pas longtemps demain matin."

Cette parole plut beaucoup aux voyageurs fatigués de la route. Pour l'amour de la demoiselle, les compagnons demandèrent à Jouglet d'emporter sa vielle à leur logis (1). Ils montèrent à deux sur les roussins, sur l'un Guillaume et Baudouin, sur l'autre un chevalier et Jouglet, ainsi conduit au logis où l'on s'occupait d'allumer quantité de flambeaux et où ils trouvèrent la belle Aélis. Descendus de cheval, ils montèrent à l'étage où on leur présenta à profusion des fruits et des vins de qualité. L'hôtesse et sa fille participèrent à la collation et à la liesse générale, aux chants et à la folle gaieté qui durèrent jusqu'à minuit. Lorsque le chambellan prit congé, le noble chevalier lui fit apporter par un de ses serviteurs une tunique de drap fin, fourrée de peaux entières d'écureuil, qui, taillée cette semaine-là, dégageait une bonne odeur de teinture. L'autre prit le vêtement qui était flambant neuf et magnifique, et il remercia Guillaume.

"Ah ! mon Dieu, dit Jouglet, quelle belle tunique, parfaite pour l'été !"

Notre héros, pour son hôte, fit aussitôt apporter un manteau de voyage qui, aussi neuf que la tunique, sentait encore la teinture fraîche. Et sur-le-champ, sans plus tarder, il donna à Jouglet sa robe d'hermine. Décidé à tout sacrifier, je ne vois pas

---

(1) Voir R. Lejeune, *op. cit.*, p. 147 : "1800. Servois (p. 202) proposait de corriger en *a l'ostel Jouglet*, mais c'est inutile. *Jouglet* est sans doute ici datif (cf. v. 1830). « On fit porter à Jouglet sa vielle pour aller à l'hôtel » (cfr. Mussafia, p. 13."

ce qu'il aurait pu faire d'autre. A sa bonne hôtesse, il donna une très belle broche :

"Prenez-en grand   soin, chère hôtesse : elle vaut bien ses treize livres, et jamais personne, la portant au cou, ne sera ivre, quand bien même on boirait tout le vin d'Orléans."

Et l'hôte de s'écrier :

"Quel dommage qu'elle ne soit pas à moi, car je bois sec chaque jour."

Guillaume donna à la demoiselle, en gage d'amitié, sa ceinture aux garnitures d'argent, pour la récompenser d'avoir chanté, accompagnée par Jouglet à la vielle, cette chansonnette nouvelle :

"Là-bas, sur l'herbe du pré,
j'ai trouvé amour nouvelle !
Son linge y trempait Pernelle.
Que je suis joyeux !
J'ai trouvé amour nouvelle
selon mon cœur."

Baudouin conclut :

"Jouglet a bien dit la vérité sur là manière dont vous vous comportez."

Et l'hôte d'ajouter :

"Il a été, à son arrivée, très aimable à notre égard. Il n'est pas douteux qu'il sera bien récompensé pour ce manteau fourré d'écureuil et pour cette fourrure de zibeline noire comme mûre."

Baudouin, sans s'attarder davantage, s'en retourna comblé, prenant au bas de l'escalier un roussin qui l'emporta jusqu'à la cour, où il se dirigea tout droit vers l'empereur pour chanter les louanges de Guillaume, revêtu de la tunique neuve. Conrad qui venait d'entrer dans son lit pour dormir, s'écria dès qu'il le vit entrer :

"Baudouin, qui vous a donné cette tunique ?

— Un homme qui n'aime pas prêter à intérêt. Il n'y eut jamais, sachez-le, d'être si noble ni si généreux. Au cours de cette visite que je n'ai pas cherché à prolonger, il a donné des vêtements fourrés et des joyaux pour cent livres.

— Il n'aura bientôt plus rien, s'il n'y prend garde, dit l'empereur.

— Ne vous tourmentez pas, seigneur, il sera toujours bien pourvu : les bourgeois aiment beaucoup qu'il vienne leur emprunter, car il leur fait des dons et les honore, sans compter qu'il les paie à point nommé...

— Il a fait bon usage de sa tunique, conclut l'empereur ; j'entends dire que l'on est roi lorsque l'on peut donner."

Alors chacun de se coucher au plus vite. Ces propos aidant, le sommeil gagna l'empereur.

Le lendemain matin, une généreuse et honorable pensée vint à l'esprit du noble empereur : il envoya à Guillaume cinq cents livres de Cologne, le tout en deniers, sachant bien que notre héros en aurait besoin pour mener à bien son entreprise ; il ajouta, pour ses compagnons, avant qu'ils ne fussent levés, deux magnifiques destriers et deux grandes coupes d'argent. Ils l'en remercièrent au moment de la messe. Un beau cadeau a beaucoup plus de valeur quand on ne l'a pas promis, et il est très honorable d'agir ainsi.

"Maintenant, vous voilà quitte de votre don de joyeux avènement" (1) dit le valeureux chevalier au roi qui répondit :

"Ainsi Dieu prend-il soin de ceux qui me rencontrent et me rendent service. Vous avez souvent besoin d'argent si mon Flamand ne ment pas."

Mais voici que Jouglet se joint à la conversation, le manteau d'hermine attaché autour du cou.

"Cher ami, lui dit l'empereur, vous avez eu vite fait de rencontrer un fol qui s'est laissé déposséder de son vêtement.

— C'est ainsi que l'on doit faire, riposta Jouglet. La robe qu'il porte, verte et doublée de fourrure, lui va aussi bien ; et celle-ci me sera fort utile."

A l'église, ils se sont longuement entretenus de ce somptueux présent.

---

(1) Cf. R. Lejeune, édit. cit., p. 148 : "1908. Ense (« mot altéré », disait Servois : et Mussafia déclarait ne pas le connaître, p. 13) est un graphie pour hanse. Hanse ne désignait pas seulement une confédération de villes, ou une corporation, mais la réception de quelqu'un dans certaine compagnie et, plus spécialement encore, le droit que l'on acquittait pour être admis en cette compagnie. Godefroy donne un exemple de cette acception (Gautier de Coincy, Miracle, ms. Bruxelles, f°206 a)."

Dès que l'on eut mangé, messire Guillaume dicta aussitôt trois lettres à un clerc. La première était destinée à sa mère : il lui faisait savoir qu'il était le favori de l'empereur. En même temps, il envoya à sa sœur une ceinture et une broche, auxquelles il joignit, dans un coffret, trois cents livres de l'argent qu'il avait reçu en cadeau, afin que l'on payât les serviteurs et les bourgeois dont il était le débiteur. Sa mère en avait besoin, croyez-le bien, de plus d'une manière, pour faire ensemencer ses champs de lin, car l'entretien d'une vaste maison coûte cher : impossible de s'en rendre compte si l'on n'en a pas soi-même la charge.

Dans une autre lettre, il fait part à ses compagnons de sa situation et de ses intentions, les priant nommément, si Dieu les protège du malheur, de venir tous le rejoindre sans faute à Saint-Trond, dans le plus bel équipage possible, car il veut, si Dieu lui prête vie, y jouter avec de belles lances peintes.

La troisième lettre, une fois terminée, fut sur-le-champ envoyée à un bourgeois de Liège qui aimait assez Guillaume pour avoir l'habitude de lui prêter à crédit, et qu'il pria de faire peindre à ses armes cent-vingt lances ainsi que trois boucliers aux poignées de soie et de brocart, insistant pour que chaque lance comportât une enseigne. Le bourgeois exécuta ses ordres comme il l'avait commandé, et même beaucoup mieux.

Ah ! si vous aviez vu tous ces préparatifs ! Boucliers, lances, équipement, couvertures de chevaux, enseignes de taffetas et de soie orientale, tout fut achevé en moins de quinze jours.

Quant à l'empereur, lassé désormais de l'inaction, pour faire passer plus vite le temps et occuper cette quinzaine, il eut envie d'aller séjourner à Maëstricht, à cause de la beauté du site. L'on a tôt fait d'y boire jusqu'à sa chemise, car il s'y trouve de bons vins à souhait et des viandes pour tous les goûts - venaison, gibier d'eau et toutes sortes de poissons. Inutile de chercher un endroit plus agréable, et il n'était qu'à huit lieues du terrain du tournoi. Je puis vous l'affirmer : Conrad s'est rendu en cet endroit afin que l'on sache qu'avec l'aide de Dieu, il assistera au tournoi pour connaître le vainqueur. Il fit comme il l'avait décidé. mais j'ignore combien de jours il mit pour se rendre à Maëstricht, où les bourgeois lui ont bien montré qu'ils étaient très heureux de sa venue. N'est-il pas né sous une bonne étoile, puisque personne ne peut le voir sans l'aimer ?

Messire Guillaume et de nombreux courtisans, comtes et barons, envoient à qui mieux mieux leurs gens à Saint-Trond pour y retenir un logement. Guillaume a recommandé à ses valets et à ses serviteurs, qui étaient les plus habiles qu'un chevalier pût avoir, de veiller, sous peine de perdre la vie, à ne laisser échapper à aucun prix le meilleur logis de la place. Bien lui prit de le leur avoir spécifié, car il obtint satisfaction : dans les granges du jardin comme dans les étables du manoir, à coup sûr, ils pouvaient, sans gêne ni difficulté, se loger tout à leur aise à cinquante chevaliers tout équipés. C'est bien la place qu'il leur faut, puisque leur maître sera accompagné d'une suite aussi imposante, si Dieu lui épargne sa colère. Cependant, il vit fort honorablement à Maëstricht, dans un beau palais auprès de la rivière, en compagnie de l'empereur qui, par de beaux cadeaux et par son amabilité, lui montre sans équivoque qu'il est loin de le haïr.

Conrad pense aussi à son amie. Comme ils sont tous les deux sur un balcon dans l'embrasure d'une fenêtre, il voit, debout devant lui, Jouglet à qui il demanda de chanter cette chanson :

> *"Malgré ce temps où les arbres*
> *se couvrent de givre et de frimas,*
> *l'envie m'a pris de chanter ;*
> *je m'en serais bien passé*
> *car Amour me fait payer*
> *de n'avoir pas su tricher,*
> *de n'avoir pu supporter*
> *d'être faux et volage.*
> *Voilà pourquoi je n'ai pas d'amie."*

Le bon Guillaume n'a pas d'amie qui le fasse renoncer à sa gaieté : le soir même, il fit recouvrir son beau pourpoint d'un tissu de soie brodé d'or. A l'empereur qui est loin de le haïr, il dissimule ses intentions autant qu'il le peut : ce n'est pas lui qui apportera au prince le moindre renseignement sur ses préparatifs, à moins que celui-ci ne les devine, jusqu'à ce qu'il les voie : pourquoi s'en vanterait-il ? Il prit congé un jour avant la date du tournoi. L'empereur aimait tant sa façon d'être qu'il le lui a accordé à grand regret. Guillaume a réussi à emmener avec lui trente chevaliers de la cour, avec leurs armes et leurs destriers : un homme de bien doit beaucoup se dépenser !

Avant qu'il ne parvînt lui-même à Saint-Trond, on avait déjà apporté son équipement. Aussi, sur-le-champ, lui montra-t-on boucliers, couvertures, lances, bannières.

"Bénie soit, dit-il, par Dieu et par ses saints noms, la personne qui vous fit faire !" Le généreux et noble bourgeois était venu de Liège avec cet équipement. Devant toute l'assistance, il dit à Guillaume que tous ses biens étaient à sa disposition. C'est faire preuve d'intelligence que de manifester sa courtoisie quand il le faut.

Venus de partout, des chevaliers emplissent les hôtels de la ville. Celui de Guillaume était à un carrefour, bien situé entre deux rues, en sorte que l'on avait vue sur les deux côtés quand on était aux fenêtres de l'étage. Au pignon, un grand balcon donnait sur la place du marché, où l'on bouscula maint et maint vilain qui bayaient aux corneilles. (1)

Un dimanche matin, ses compagnons arrivèrent de Dole. Guillaume les accueillit avec force embrassades et leur demanda des nouvelles :

"Elles sont très bonnes, répondirent-ils. Tout le monde va bien chez vous.

– Que dit-on ? Quel est votre avis ? Du royaume viendra-t-il beaucoup de gens ?"

Les gens interrogés répondirent :

"Oui, des centaines et des milliers. Il ne reste pas un bon chevalier, dans le Perche, en Poitou, ni dans le Maine ; le comte de Champagne amène tous ceux qu'il a pu mettre en route.

– Savez-vous vraiment si les Français et les Flamands viendront ?

– Nous sommes certains qu'ils y seront, nous en avons beaucoup entendu parler : le sire de Ronquerolles, Guillaume des Barres, le seigneur de Coucy, Alain de Roucy le brave et le fameux Gautier de Châtillon ainsi qu'un autre de Mauléon (pour ceux-là, nous en sommes certains) ont couché à Namur la nuit dernière.

---

(1) Est-ce en pensant à la ville de Constantin, Constantinople ? Cf. R. Lejeune, *op. cit.*, p. 149 : "*Muser à Constantin* est une allusion qu'il faut rapprocher d'autres allusions, assez nombreuses, dans les chansons de geste (v. Langlois, *Table* ..., p. 157) à *l'avoir, l'or, l'honneur, le temps Constantin* (c'est-à-dire à un trésor ou à un temps prestigieux, prodigieux)."

– Et vous qui étiez à Ligny, le brave Gautier de Joigny qui faillit mourir pour son amie, avez-vous entendu dire s'il viendra ?

– Oui, et prêt pour la joute, car Dieu l'a ressuscité.

– Vraiment, dit Guillaume, j'en suis très heureux.

– Ne vous tourmentez pas, ajoutent-ils, on y vient en foule sans perdre une minute. Le comte Renaud de Boulogne a couché cette nuit à Mons-en-Hainaut."

Guillaume lève les bras au ciel, transporté de joie. Et ses compagnons de préciser :

"S'il n'y a pas de votre côté beaucoup de combattants, vous ne pourrez guère pour jouter vous éloigner à plus d'une demi-lance de vos servants !

– Nous pensons pouvoir compter sur le bon chevalier de Saxe et sur le duc, s'il n'a pas d'empêchement. Nous aurons aussi le comte de Dabo et le brun Galeran de Limbourg, ainsi que son père le duc et cinq ou six comtes.

– Et le comte de Bar, ce grand seigneur, qui fut le fils du comte sans égal pour sa vaillance et sa hardiesse ?

– Il y viendra en grand appareil, suivi d'une foule de Lorrains, experts dans l'attaque, et de tous les barons jusqu'au Rhin. Vous verrez, au cours de la matinée, dans ce château et aux environs, maints grands seigneurs du Hainaut et de Bourgogne. Voyez déjà, sur tous les pignons de la place, pendre les écus."

Il serait bon dès maintenant de s'intéresser aux mets du dîner et de laisser là ce va-et-vient qui ne finira pas de sitôt. Je cesse donc de parler des armes, car il est plus agréable de s'occuper de la nourriture. Chacun est servi à son goût, sans avoir à parler ni à demander. Guillaume s'applique à honorer les chevaliers qu'il a amenés de la cour, embrassant l'un, courant à l'autre, puis à un troisième. Celui-ci est-il plus respectable que celui-là ? Il le met cent fois plus en valeur, sachant fort bien se conduire avec chacun selon sa condition. L'empereur ne se trompe pas quand il honore et estime un tel homme.

Avant que l'on se fût levé de table, il arriva des troupes de toutes parts, si nombreuses que l'on n'imaginait pas que le quart de ces gens pût se loger en trois villes comme celle-ci. Jamais personne ne fut affairé comme l'étaient ces vaillants chevaliers à chercher et à préparer les logis, à déployer, près des gouttières, les enseignes et les bannières pour guider leurs compagnons qui erraient dans la ville et s'interpellaient à haute voix : "Boidin !, Boidin" ou "Wautre ! Wautre" (1), baragouinant le flamand comme des diables. Dieu ! on passa une bonne partie de la nuit dans les débordements du plaisir avant que l'on pût loger la moitié de cette nombreuse chevalerie !

Jouglet qui, toute la matinée, avait dormi à Maëstricht comme un bourgeois, arriva sur un palefroi norvégien (2) à la suite du (3) noble jeune homme. A son arrivée, il n'eut pas à demander son hôtel, car aucun n'était aussi riche ni aussi bien pourvu en chevaliers et serviteurs. Hérauts et ménestrels y menaient grand tapage. Je ne sais si c'est le diable ou Dieu qui leur avait indiqué ou révélé en songe la demeure de ce bon chevalier qui dépense et prodigue tous ses biens, donnant l'avoir qui lui vient de Dieu sans jamais en être las, car un homme de bien a besoin de peu de choses.

Quand Jouglet eut monté l'escalier, il trouva demeure à son goût et jeune homme selon son cœur : vêtu d'une magnifique chemise, le corps libre de tout manteau, habillé seulement d'une tunique dont le dos était orné d'une bande de passementerie anglaise (on pourrait chercher très loin avant de trouver la semblable, car la doublure était en soie vermeille et le col fourré d'une très belle hermine), Guillaume portait une ravissante couronne de perles (4) et de boutons dorés.

"Eh bien ! fit-il, Jouglet, Jouglet ! charmante compagnie que la vôtre ! Vous auriez déjà pu dire : "Ce vêtement m'appartient", si vous étiez venu avec moi."

Et de lui montrer du doigt la belle tunique dont Jouglet ne doute pas qu'il l'obtiendra.

"Qui t'a accompagné ?

---

(1) Prénoms flamands : « Boidin est .... un prénom fort répandu en Flandre (Baldwijn = Baudoin) de même que Wautre, graphie francisée du nom flamand Walter (Gauthier). » (R. Lejeune, op. cit., p. 149).

(2) Ou : « fringant ».

(3) Peut-être « en quête du ».

(4) Cf. F. Lecoy, art. cit., pp. 252-253.

– Une troupe d'Allemands qui m'ont ennuyé à mourir. Je meurs de faim, n'ayant pas mangé d'aujourd'hui. Holà ! Qui va me donner à boire ?

– Ouais, ouais, par le diable ! Jouglet, retournez avec vos Allemands !".

Il lui fait vivement donner deux paons châtrés en pâté. Il a hâte d'aller aux vêpres où déjà les gens se pressent : certains ont fait le vœu de ne pas porter d'armes par respect pour le dimanche, et le valeureux Guillaume est de ce nombre.

"A cheval et partons" dit Jouglet qui plaque l'archet sur la vielle. L'on mit aussitôt nombre de selles sur des destriers noirs, pie et balzans qu'on sortit par centaines des hôtels pour les conduire dans la rue : beaucoup sortirent qui avaient fière allure. Un jeune homme de Normandie qui chevauchait par la grand-rue, entonna cette chanson qu'il fit accompagner à la vielle par Jouglet :

"Dans la chambre royale, belle Eglantine
près de sa dame cousait une chemise.
...
A son insu Amour l'a surprise.
Ecoutez bien
ce que fît la belle Eglantine.

Près de sa dame, elle coud et taille,
mais moins habile qu'à l'accoutumée,
distraite, elle se pique le doigt.
Tout aussitôt sa mère l'aperçoit.
Ecoutez bien
ce que fît la belle Eglantine.

"Belle Eglantine, ôtez votre surcot,
...
Je veux dessous voir votre joli corps.
– Non, madame, le froid apporte la mort."
Ecoutez bien
ce que fît la belle Eglantine.

"Belle Eglantine, quel mal donc vous mine,
qui vous fait pâlir et vous épaissit (1) ?

_____
(1) Ou bien "vous attriste

...
Ecoutez bien
ce que fit la belle Eglantine.

Ma chère dame, je ne puis le nier :
Oui, j'ai aimé un séduisant guerrier,
le preux Henri qui est tant estimé.
Si vous m'aimez, de moi ayez pitié."
Ecoutez bien
ce que fit la belle Eglantine.

  – "Belle Eglantine, vous épousera-t-il ?
  – Je ne le sais, jamais ne l'ai requis.
...
...

Ecoutez bien
ce que fit la belle Eglantine.

  – "Belle Eglantine, allez-vous-en d'ici
et de ma part demandez à Henri
s'il veut vous prendre ou vous laisser ainsi.
  – Bien volontiers, madame" a-t-elle dit.
Ecoutez bien
ce que fit la belle Eglantine.

Belle Eglantine a quitté son logis,
tout droit est venue à l'hôtel d'Henri.
Le comte Henri était couché au lit.
Ecoutez bien ce que la belle a dit.
Ecoutez bien
ce que fit la belle Eglantine.

  – "Seigneur Henri, dormez-vous ? veillez-vous ?
Eglantine au clair visage vous demande
si vous voulez la prendre pour épouse.
  – Oui, répond-il, quelle joie d'être à vous !"
Ecoutez bien
ce que fit la belle Eglantine.

En l'entendant, Henri fut très joyeux.
Il fit monter jusqu'à vingt chevaliers,
en son pays il emmena la belle
dont il fit sa femme et une puissante comtesse.
Qu'il est heureux,
le comte Henri, d'avoir belle Eglantine !"

Au son des flûtes et des vielles, pour assister aux nouvelles joutes - car ce n'est pas de réunions pieuses qu'il s'agit - en compagnie de princes et de comtes qui formaient une troupe fort variée, Guillaume fit marcher devant lui ses bannières, sous lesquelles s'avançait une bonne soixantaine de compagnons valeureux et renommés, pour aller voir s'il y avait quelqu'un sur le champ du tournoi (1). Jamais Vivien, le héros des Aliscans, n'accomplit en un jour autant de prouesses que Guillaume aspire à en faire demain. Que Dieu veuille lui en donner la force ! La belle tunique qu'il avait passée, son clair visage, sa belle prestance lui firent souhaiter bonne chance par maintes demoiselles. Mais, dès qu'ils ' eurent franchi la porte, ils entendirent d'autres nouvelles que lui apporta un bon chevalier, le favori du duc de Louvain, qui arriva au galop tout en contrôlant sa monture : personne ne devait sortir de la ville pour aller aux champs.

"Dites-nous, font-ils, ce qui se passe, cher seigneur, si cela ne vous importune pas.

– Ce soir, au château, on fête le bon martyr saint Georges."

Dans un grand champ tout semé d'orge, ils se sont alors concertés :

"Nous n'avons plus qu'à nous en retourner tranquillement", disent les comtes et le principal intéressé.

Les voici de retour, sans que leurs hauberts et leurs beaux équipements aient été abîmés ou défaits. Ils ont passé le reste du jour à tourner en rond dans leurs hôtels, à manger les mets (oiseaux et venaison) appropriés au temps et à la saison, à boire des vins secs et clairs. Quand vint le moment d'éclairer, on crut qu'au milieu de la ville le logis de Guillaume brûlait : il était construit de telle manière que les lumières que l'on y plaça jaillissaient par tant de fenêtres que la grand-place du marché et ses abords en étaient tout illuminés. Dans les rues de devant et

---

(1) Sur la construction de ce passage, voir R. Lejeune, *op. cit.*, p. 151 : « 2303. Ce vers est difficile à expliquer. A quoi se rapporte *veoir ?* Peut-être est-il employé absolument dans le sens de *pour voir* (comme *savoir*, v. 1069 et 3167) et consiste-t-il en un nouveau complément de *mist ses banieres*. Dans ce cas, il faudrait admettre que l'auteur, entraîné par le mouvement de sa phrase et par l'abondance des incidentes, a laissé tomber son premier complément (*por veoir les joustes noveles*), quitte à reprendre sa pensée, en la précisant, par *veoir s'il a nului as chans*. »

sur les côtés, il faisait aussi clair qu'en pleine matinée. De longtemps, vraiment, on ne reverra un jeune chevalier dans un tel hôtel. Vielles, flûtes et autres instruments y résonnaient si fort que l'on n'aurait pu, à mon avis, entendre le tonnerre de Dieu. Certains pouvaient bien aller et venir d'un hôtel à l'autre, mais soyez sûrs que Guillaume ne voulait pas quitter le sien, préférant que chacun lui rendît visite. En quoi il était fort avisé : il voulait que l'on vît chez lui la foule des barons et la joyeuse agitation qui y régnait. Tous les ducs, tous les hauts personnages, logés dans les hôtels de la place, y sont venus boire et manger et mener si joyeux train qu'ils ne parlèrent pas de faits d'armes, mais les danses étaient si bruyantes qu'on les entendait dans toute la ville. Le beau Galeran de Limbourg, qui n'avait pas ri depuis longtemps, entonna cette chanson :

> *"Là-bas, sous l'olivier,*
> *n'ayez pas de regrets,*
> *jaillit fontaine claire :*
> *jeunes filles, dansez !*
> *N'ayez pas de regrets*
> *si l'amour est sincère."*

Cette chanson n'avait pas duré trois tours de danse que le fils du comte de Maëstricht, fort expert en cet art, commença cette chansonnette :

> *"De bon matin Mauberjon s'est levée.*
> *Toute parée*
> *- pour ma joie j'y vins -*
> *A la fontaine elle s'en est allée,*
> *j'en ai douleur.*
> *Mon Dieu, mon Dieu, qu'elle tarde,*
> *Mauberjon, auprès de l'eau !"*

Un jeune homme attaché au comte de Looz, qui avait la réputation d'un bon chanteur, reprit après celui de Maëstricht :

> *"Renaud à travers prés chevauche avec sa mie,*
> *toute la nuit chevauche jusqu'au jour.*
> *Je n'aurai plus la joie de votre amour."*

Ainsi se divertissaient ces jeunes gens. Même les plus généreux, c'est tout dire, furent entièrement satisfaits de cette fête. Le comte de Bar y demeura longtemps. Un ménestrel de l'Empire lui chanta une chanson sur son frère :

"Sur Renaut de Mousson
et sur son frère Hugon
et sur ses compagnons
qui font de si grands dons,
Jourdain, le vieux bourdon (1),
veut faire une chanson
au temps des vendanges."

On parla beaucoup de Jourdain.

"La fête va-t-elle s'arrêter jusqu'à demain ? demanda un
Flamand.

— On verra bien, fut-il répondu. Que le premier à partir
soit tenu pour le plus courtois de la troupe !" (2)

Ces mots mirent fin au tumulte de la fête. Jamais, où qu'il se
rende, aucun des présents n'entendra dire qu'en une seule nuit,
on se soit autant amusé chez quelqu'un. Il fallut alors s'occuper
des lits, qui furent nombreux à être bien pourvus de beaux draps
et de couvertures. Les gens dont c'était la fonction les dressèrent
sans bruit ni peine ; puis ils y firent coucher leurs seigneurs alors
que la nuit commençait à se dissiper.

Le lendemain, la matinée fut claire et pure comme en été.
Quand la foule des chevaliers se fut levée dans le bourg,
Guillaume (3) fit aligner aux fenêtres de la rue les boucliers et les
lances auxquelles on avait fixé avec élégance les oriflammes, en
sorte que l'aspect de la ville en fut trois fois plus beau. Quand
arriva le moment de se rendre à l'église, il n'eut pas seulement
trois compagnons, car ce furent au moins soixante chevaliers,
richement équipés qui, sur de beaux palefrois, l'escortèrent deux
par deux devant lui et à ses côtés.

Un jeune homme, le fils de son hôte, qui s'était mis tout
entier à son service, le suivait pour donner l'offrande. Une fois la
messe entendue, que le chapelain d'une abbesse célébra
solennellement en l'honneur du Saint-Esprit, ils retournèrent à

---

(1) Selon F. Lecoy, celui qui fait la basse ou joueur de "bourdon".

(2) Voir R. Lejeune, *op. cit.*, p. 152 : « 2405-8. Jean Renart veut opposer la politesse
française au peu de galanterie des Allemands. Au congé grossier du « Tyois » qui
demande si la fête ne va pas cesser, correspond la formule raffinée de Guillaume et de
ses compagnons : « Comme vous voudrez ; celui qui s'en ira le premier sera le plus
courtois de la compagnie. » Délicatesse de pensée et d'expression intéresse beaucoup
l'auteur, comme dans le *Lai de l'Ombre.* »

(3) Ou les chevaliers.

leurs hôtels, ordonnant aussitôt aux échansons et aux cuisiniers d'apporter les vins et les mets qui convenaient avant un tournoi.

On n'avait guère mangé, on n'était pas resté longtemps assis quand cinq ou six escadrons sortirent en rangs serrés, car le bruit de la mêlée avait commencé depuis un bon moment. Messire Guillaume voit alors ses compagnons et sa suite occuper une bonne partie de la place pavée ; en effet, rien que pour porter ses lances, il y avait cent quarante valets, tous couronnés de fleurs, et il y avait une foule d'autres gens, de ménestrels avec leurs instruments et leurs flûtes qui menaient grand tapage. Et chacun de s'écrier : "Que Dieu accroisse et augmente sa gloire !" Les chevaliers qui viennent prendre l'un après l'autre les lances dont le nombre est incalculable, donnent à chacun des valets des gants blancs et une ceinture toute neuve : beau geste de courtoisie dont on parla abondamment. Ils se rangèrent en bon ordre, deux par deux, côte à côte, la lance peinte en arrêt ; les bannières étaient derrière, ainsi que trois destriers semblables, chacun recouvert d'une couverture dont je vous garantis que les armoiries, pour la façon et le passementerie, avaient coûté cent sous de Cologne. Venaient ensuite ses beaux boucliers : de mémoire d'homme, on n'en avait jamais vu qui fussent traités avec tant d'honneurs. En effet, trois barons de l'empereur les portaient sur leur poitrine, à hauteur, et chacun d'eux était revêtu d'une tunique, sans manteau. On les portait solennellement comme des reliques ou un trésor.

C'est dans cet appareil et cette pompe que le valeureux chevalier quitta son hôtel. Au tournoi, aucun palefroi n'égalait le sien : il était de toutes parts plus blanc que la neige fraîchement tombée, tandis que le tapis de selle, ajouré et pendant jusqu'au sol, était en soie vermeille. On ne pourrait rien trouver de plus beau, car le blanc tranchait sur le rouge. Quand on recherche ainsi la gloire, je ne m'étonne pas qu'on l'obtienne.

Il ne portait qu'un pourpoint sous sa cotte d'armes et une couronne de fleurs, sans plus, qui lui allait fort bien, je puis l'affirmer. Il monta à cheval et se recommanda à Dieu afin qu'il lui évitât le déshonneur.

Dans le tumulte de la joie, il s'en va, suivi de ses gens, au petit pas, deux par deux, comme des moines en procession, Jouglet chantant en duo avec Aigret de Grame

"Là-bas, sous la ramure,
- ainsi doit aller qui aime -
claire jaillit la source,
        ya !
- ainsi doit aller qui belle amie a."

Avant la fin de cette chanson, deux jeunes hommes à qui cela convenait tout à fait et qui étaient les neveux du seigneur de Dinant, entonnèrent à leur tour ce début :

"Sur le bord de la mer
allez gracieusement !
Un bal y est donné.
Gracieux je suis,
allez gracieusement,
deux par deux."

En grand nombre, des personnes de bonne compagnie étaient montées aux étages et aux balcons ; aux portes et aux fenêtres se tenaient des dames de grande noblesse au point que, dans toute la châtellenie, aucune femme belle et jeune n'était restée chez elle ; même les demoiselles de Done étaient venues en charrette. On voyait sur les têtes plus de mille guirlandes dont les fleurs n'étaient pas de simples violettes.

"Ah ! Dieu, fait l'une, quel est donc cet homme qui porte une tunique de drap précieux ?

— C'est, répond l'autre, le beau Guillaume de Dole, le bon chevalier.

— Celle qui est aimée de lui doit lui rendre son amour bien volontiers. Quel bonheur d'avoir le cœur d'un chevalier si prestigieux !

— Il surpasse Graelant Muer", disent tous ceux qui le voient.

Du cœur et des yeux ils l'accompagnent tout au long de la grand-rue.

Ecoutez maintenant une extraordinaire aventure, car Dieu ne cesse d'accroître la gloire de Guillaume. Voici qu'arrive l'empereur, piquant des deux, qui voit l'allégresse de la foule, entend la musique des flûtes et des vielles, et remarque que les dames et les demoiselles contemplent Guillaume de leurs beaux yeux.

"Cet homme, se dit-il, est bien plus aimable que maint autre".

Se frayant aussitôt un passage dans la foule, il lui jette les bras autour du cou et lui dit :

"Guillaume, par saint Paul, vous vous êtes bien caché de moi !".

Ainsi porté au faîte des honneurs, notre héros n'avait plus rien à désirer ; et c'est auréolé de cette gloire qu'il passa la porte aux côtés de l'empereur.

Quand les gens de celui-ci, et avec eux les barons d'Allemagne sortirent dans la plaine, vous auriez pu voir force équipements somptueux et force chevaux fringants, mainte enseigne et mainte bannière : sur plus d'une lieue, ce sont comme autant d'épis dans les champs.

Près d'une colline, dans un beau champ de blé haut, vert et dru, Guillaume est descendu de cheval avec ses compagnons et sa suite. Ils ont chacun planté leur lance et les ont si bien alignées que leur rangée s'étirait, je crois, sur plus de deux portées d'arc. En soixante, voire en cent endroits, vous auriez vu décharger les bêtes de somme, secouer au-dessus des chapes étendues à terre les étuis des armes flambant neufs, faire sortir en glissant les hauberts et de belles chausses toutes blanches. Les uns apportent du fil pour coudre les manches, les autres attachent les épaulières, tandis que leurs maîtres lient connaissance. Vous auriez pu y entendre beaucoup de "Wilcome" et de "Godehere", et en cent lieux réclamer équipements, sangles de dessous et de dessus, lacets à heaume. Sachez que l'on arma messire Guillaume de main de maître : il était si beau qu'il n'y avait rien à redire. Son heaume lacé, il fixa à la pointe une enseigne aux armes de l'empereur.

Impétueusement, le comte de Clèves, dans sa hâte de partir le premier, s'en va avec cent chevaliers au grand galop pour engager le combat.

L'empereur et le comte d'Alost allèrent voir les adversaires français qui s'avançaient déjà armés de pied en cap, en rangs serrés. Sauf si le combat n'a pas lieu de leur faute ou par l'opposition de Dieu, le tournoi les aura épuisés avant la tombée de la nuit, car ils n'ont qu'une idée : se distinguer les armes à la main, d'autant plus que l'affaire se présente bien.

Quant à notre héros, il n'avait pas l'air triste, et son beau visage n'était pas couvert de boutons (1). Une fois ses compagnons montés à cheval et lui-même en selle sur l'un de ses destriers entièrement caparaçonné de housses d'une seule pièce, il s'écria :

"Allons donc voir d'abord ce qu'ils veulent ; aussi est-il raisonnable que je laisse ici une partie de mes lances et de mon équipement".

Il se contenta donc dans l'immédiat de faire prendre trente lances et, par la belle bretelle d'orfroi, il suspendit à son cou le bouclier tout neuf. Et aussitôt le voici qui s'en va, piquant son cheval des éperons. Avec soixante compagnons tout armés, heaumes lacés et bannières au vent, il se dirige vers le tournoi, suivi d'une centaine de hérauts qui le font admirer. Et tous de dire : "Allons, laissez passer, c'est Guillaume de Dole. Quelle splendeur !" Au son des flûtes et des chalumeaux, ils l'ont ainsi conduit jusqu'à la première ligne.

Comme Guillaume regardait, il vit un Flamand qui pour combattre avait pris son bouclier. Ah ! mon Dieu, combien de valeureux barons assistèrent à cette joute ! Voici Guillaume, au bout du rang, avec sa forte troupe. Du coude il poussa le bouclier, saisit avec le poing la courroie et s'élança au galop d'aussi loin qu'il pouvait apercevoir son adversaire. Celui-ci, c'est la stricte vérité, le frappa violemment : s'il ne rompit ni ne déchira son haubert et son pourpoint, il planta dans son bouclier une bonne toise de sa lance, fer et bois. Sans l'intervention de Dieu, l'autre aurait pu blesser Guillaume qui, je vous l'affirme, le paie de retour, et ce n'est pas le coup d'un novice. De sa robuste lance peinte, il le frappe haut, au beau milieu de la poitrine, et le heurte si rudement qu'il l'abat de son cheval. "Dole ! chevaliers ! crie Jouglet, c'est Guillaume Rafle-Lances". Et les compagnons de notre chevalier se précipitent tous ensemble comme une volée de sansonnets. De vive force et prestement, ils ont contraint le Flamand à s'avouer vaincu et à donner sa parole, tandis que Guillaume a pris le destrier pour le bourgeois de Liège.

Les gens de Walencourt et d'Artois chargeant comme un seul homme, aussitôt notre Guillaume s'ébranle à son tour pour

---

(1)   Voir M. Dubois, dans *Romania*, 1964, pp. 112-114.

les affronter et lance son cheval au galop. Avant qu'il n'en ait touché un seul, les autres le frappent à sept ou huit, qui sur le casque, qui sur le bouclier. Mais, loin de manquer son coup, Guillaume, je crois, l'assène si bien qu'il frappe le premier de ses adversaires en haut, à un demi-pied du nasal, et l'expédie au sol de toute la longueur de sa lance. Toutefois, que de coups violents celui-ci endure avant d'accepter de se rendre ! Guillaume, qui n'a pas l'intention de lui rendre sa liberté, l'envoie se constituer prisonnier chez son hôte à Saint-Trond, et il donne le destrier à Jouglet. Il ne fait pas bon rencontrer les compagnons de notre Guillaume ! Ils défoncèrent, coupèrent, fendirent tant de boucliers et de casques qu'ils prirent de vive force cinq Artésiens au cours de cet assaut. Impossible de percer, voire d'entrouvrir les rangs des chevaliers du pays d'Alost, de Walencourt et de Bailleul, tant ils se tenaient serrés et groupés.

Notre héros venait de jouter sans désemparer huit fois de suite, et chaque fois l'empereur, son seigneur, avait assisté au combat. Il l'avait emporté à sept reprises, gagnant sept destriers. Il prenait soin de se tenir toujours bien visible à l'extérieur des rangs, recherchant de toute évidence la gloire comme en témoignait son bouclier, si troué et si fendu qu'il n'en restait même pas, avec la bretelle, une pleine paume intacte, me semble-t-il.

Tandis qu'on lui en redonnait un autre, il vit venir, lance en arrêt, le chevalier de Harnes, le vaillant Michel, qui tenait son bouclier par les courroies, ne pensant qu'à jouter. Guillaume ajusta aussitôt son bouclier sur son bras, prit une lance neuve et, plus rapide qu'une hirondelle, s'élança, l'écu un peu de biais devant lui. De son côté, Michel arrivait bon train sur un beau destrier de couleur pie, au poil luisant, qui l'emportait à vive allure. Il assena un coup magistral à Guillaume, sur le haut de son bouclier, juste au milieu, à quelques centimètres du cou, sous la clavicule, dans un endroit très dangereux. Peut-être l'aurait-il rapidement désarçonné si sa lance ne s'était brisée en deux. Mais à son tour, d'une grosse lance qu'il tenait bien en main et qui était plus robuste qu'une massue, Guillaume le frappa à deux reprises au milieu du bouclier, en pleine poitrine. Avec sa monture, il le heurta si impétueusement que les sangles et le harnais du cheval de son adversaire se rompirent comme une vieille lanière et que celui-ci fut transporté derrière sa monture, toujours assis sur sa selle. Cet exploit exceptionnel fut porté au crédit d'une force peu commune. Sans perdre de temps, Guillaume mit toute sa puissance à changer de direction si bien qu'il attrapa par la bride le cheval Vairon qu'il donna ensuite à un prisonnier de la maison de l'empereur.

"Il connaît l'art de se procurer des amis et de la gloire", dit l'empereur à un baron qui était à ses côtés. "A coup sûr, Roland ne le valait pas. Il est la perle, la merveille de tous ceux que je pourrais voir aujourd'hui. Voyez comme tous s'effacent devant lui : personne ne peut lui résister" (1).

Quand Guillaume eut fait prisonnier Michel, il lui rendit une entière et totale liberté pour accroître sa gloire et sa réputation : il connaissait tous les devoirs qui incombent à un homme de valeur. Les nobles et vaillants Champenois ainsi que les Français, boucliers en mains, se jetèrent aussitôt dans la mêlée. De leur côté, les Allemands au riche équipage et les hommes du duc de Saxe s'y précipitèrent sans perdre une minute. Ah ! mon Dieu, que de grands coups distribua notre héros au milieu des deux troupes, au plus fort de la mêlée !

Combien d'hommes furent abattus au cours de ces rudes rencontres ! L'on se battit ferme pour s'assurer la capture des chevaliers désarçonnés. Le long d'une vallée, les Lorrains survinrent : "Vive Bar ! Vive Bar !" lançaient-ils. Je l'affirme par saint Nicolas de Bari : on ne verra jamais rien de semblable. Le comte de Boulogne, entouré lui aussi de chevaliers magnifiquement équipés, se lança dans le tournoi avec cent-quarante hommes qui criaient d'une seule voix : "En avant ! en avant !". Le dernier aurait préféré, croyez-m'en, être en première ligne.

Notre héros qui se tenait en retrait avait bien reconnu ces cris de ralliement. Il voit le chevalier de Ronquerolles, Eudes, s'avancer en tête. Ah ! mon Dieu, quel rude métier ! C'est sagesse que de s'en abstenir. Ces deux fiers chevaliers, d'aussi loin qu'ils s'aperçoivent, piquent des éperons, chacun de son côté (2), avec une telle force que les lances dont ils se frappent plient et se brisent et que chacun repart avec un tronçon d'une toise planté dans son bouclier. La nuit eût été bien inspirée de survenir

---

(1) Voir P. Le Gentil, *A propos de Guillaume de Dole*, dans les *Mélanges Delbouille*, Gembloux, 1964, t. II, pp. 381-382.

(2) Au v. 2796, nous adoptons la correction proposée par F. Lecoy, *repoignent* au lieu de *resoignent*.

pour les séparer. A les voir, on aurait eu l'impression d'assister à une joute de charpentiers. Ils ne laissent intacts ni boucliers ni pourpoints qu'ils ont lacérés et coupés tant sur les épaules que sur les pans. Quant aux chevaux, ils se dispersent dans la campagne, les pattes prises dans leurs rênes. Dieu ! quelle fortune on aurait pu amasser si l'on avait pu s'en occuper ! Depuis le temps des Maccabées, on n'avait jamais vu des gens frapper des coups aussi vigoureux sur les heaumes, car toute la fine fleur de l'empire allemand et du royaume de France s'y était rassemblée.

L'après-midi, le soleil éclatant s'achemina vers le soir et alors il baissa aussitôt. Ah ! si vous aviez vu conduire de toutes parts des prisonniers vers le camp de chaque nation (1) ! Que de gains pour les uns, que de pertes pour les autres ! Ce jour-là, les Français et les chevaliers des Pays-Bas se sont affrontés avec tant d'acharnement qu'ils ne réussirent pas à se départager. Les Allemands, en cette journée, ont fait grand honneur à leur empereur, tout comme les Français ont donné beaucoup de lustre à la noblesse de leur pays. Ils se sont séparés pour la nuit sans rancune ni rancœur, comme on le fait en de telles circonstances, les uns joyeux, les autres mornes. Quand on est passé par là, on sait bien ce que l'on peut ressentir.

L'empereur qui avait suivi tout le tournoi jusqu'au soir, s'en alla, à la requête de ses conseillers, pour régler une affaire de son ressort. Sa noblesse de cœur le poussa, cette nuit-là, à accomplir un acte généreux et glorieux qui accrut considérablement son prestige en France : n'envoya-t-il pas dans l'un et l'autre camp ses sénéchaux avec des chevaux chargés d'or et d'argent pour racheter les gages de tous ceux qui acceptèrent son offre ? Il n'est aujourd'hui aucun roi qui ne préférerait être brûlé vif plutôt que de faire un acte de ce genre qui coûta à l'empereur jusqu'à dix mille marcs. On en parle encore maintenant.

Puisque de puissants comtes et de nobles barons s'en retournèrent à leurs hôtels vaincus et endoloris, prisonniers de l'empire ou du royaume, sans rien d'autre sur le corps qu'un pourpoint, pour avoir été dépouillés de tout, chevaux et équipements, on peut bien affirmer que le héros aux trois boucliers neufs, le chevalier de Dole nommé Guillaume, leur a

---

(1) *Harnués* désigne le camp formé par l'entassement des bagages. Cf. P. Le Gentil, *op. cit.* t. II, p. 382. qui donne raison à Mme Lejeune.

vendu son casque au prix fort. Mais lui aussi a payé bien cher cet honneur exceptionnel. Car il a reçu plus d'un coup. Quand il s'en revint à son hôtel, meurtri et rompu, tout le monde avait les yeux fixés sur lui, car à Saint-Trond il n'est personne, bourgeois, jeune fille et dame, qui ne soit venu à la porte de la ville pour voir le butin de chacun. Or Guillaume, vêtu d'un pauvre pourpoint, ne rapportait que sa gloire : s'étant désarmé sans attendre, il avait tout donné aux hérauts, armes et chevaux. Ni Alexandre ni Perceval ne se couvrirent d'autant de renom en une seule journée.

"Regardez, disait l'une, c'est le magnifique chevalier qui passa par ici ce matin même : le voici qui revient maintenant sur un pauvre cheval, son beau visage tout meurtri.

– Oui, c'est bien lui, répondait l'autre, regardez sa bannière".

A lui seul son visage franc lui a procuré l'amour de mainte et mainte dame ; tous et toutes, quand ils le voient, le saluent avec déférence.

On aurait dit que les hôtels brûlaient, à cause des flambeaux que l'on y avait allumés. Nos comtes et nos valeureux barons y descendirent, suivis de leurs compagnons et d'une grande quantité de prisonniers qui, sur leur chemise, n'avaient plus que leurs pourpoints. Ils trouvèrent les nappes mises, de bons vins, des plats préparés au goût de chacun par des serviteurs dont c'était la fonction. Ils apprécièrent beaucoup l'eau chaude pour baigner leurs cous meurtris qui avaient été durement frappés et pour laver leur beaux visages.

Sa toilette terminée, le vaillant et sage Guillaume s'assit au milieu de ses compagnons qui rayonnaient de gaieté, parmi ses hôtes qui voient prendre place à ses côtés pour le souper quinze prisonniers dont la rançon leur reviendra, à moins qu'une prière n'incite Guillaume à les libérer. Cette nuit-là fut moins propice aux réjouissances que la précédente, car chevaliers et barons étrangers ne cessèrent de défiler à la recherche de leurs compagnons pour les racheter ou pour offrir des gages. Notre noble héros, je puis l'affirmer, préférait augmenter sa gloire et son renom plutôt que de tirer une rançon des gens qu'il avait pris. Au sujet de ceux-ci, jamais homme de bien ne lui adressa une demande qu'il ne la lui accordât : il donna satisfaction à tout le monde.

Le lendemain à Saint-Trond la matinée eût été désastreuse
sans la sage conduite de l'empereur. Car autrement certains qui
s'en retournèrent la tête haute seraient repartis couverts de honte
le lendemain du tournoi, se parjurant même : dans ces cas-là, on
paie les bourgeois par le pillage et la mise à sac de leurs hôtels.
Pour les hommes de valeur, il est vraiment difficile d'acquérir de
la gloire en passant d'un pays à l'autre. Qu'y faire ? Il ne peut en
être autrement. C'est un problème qui ne date pas d'aujourd'hui.
Il reste que ce grand tournoi augmenta considérablement le
prestige de l'empereur, de ce généreux prince : s'il a dépensé
beaucoup d'argent, il s'est en revanche acquis l'amitié de
puissants personnages tant dans le royaume que dans celui de
son voisin.

La journée ne me suffirait pas pour raconter les faits et
gestes de chacun. Quand notre Guillaume, qui était la délicatesse
même, quitta les bourgeois qui lui avaient accordé l'hospitalité, il
leur fit de beaux cadeaux en témoignage de son amitié : il eût été
incapable d'agir différemment. Il renvoya chez lui ses gens et ses
compagnons, chargés de butin et de présents. Lui-même revint
ensuite à la cour, bien meurtri et moins riche qu'il n'en était parti
la veille. N'allez pas vous imaginer qu'il se vanta de la gloire qu'il
avait remportée. A son retour, il fut fêté par tous les hommes de
l'empereur qui, de son côté, lui prodigua de nombreuses
marques d'estime, sans que les honneurs dont il l'entourait
puissent lui sembler suffisants, si profondes étaient l'amitié et
l'affection qu'il éprouvait pour lui.

Le lendemain matin, ils montèrent à cheval et partirent
pour Cologne. L'empereur ne veut plus tarder à révéler ses
intentions à Guillaume, car les événements lui ont suffisamment
démontré la valeur exceptionnelle de notre héros ; il sait en outre
par (1) les gens de sa maison qu'il appartient à une très noble
famille ; bien plus, quand même il n'aurait que ses qualités
personnelles, il serait digne d'un royaume.

"Approchez-vous, monseigneur Guillaume, dit l'empereur,
je veux vous parler".

---

1) Ou "à en juger par"

Ils laissent partir le gros de la troupe et s'écartent du chemin. Conrad, en choisissant ses mots, tient à Guillaume un beau discours.

"Un important seigneur m'a un jour appris que vous avez une sœur, tout à fait digne d'un grand honneur si Dieu le lui procurait.

— Seigneur, répondit aussitôt Guillaume, personne n'en serait plus heureux que moi, si elle l'obtenait.

— Par mon âme, ajouta le roi, on m'a révélé qu'elle est très belle, et qu'elle n'est point encore mariée.

— C'est la stricte vérité, sire.

— Dites-moi son nom".

(Ah ! mon Dieu, pourquoi avoir posé cette question ? Voici maintenant ce nom si profondément gravé dans son cœur qu'il n'en peut plus sortir ! Elle s'appelle la belle Liénor. "Il est certain, pense le noble empereur, que l'amour a encore plus de charme quand c'est un autre qui vous parle de l'objet aimé". C'est pour cette raison qu'il n'a pas osé la nommer, de peur de se trahir).

"D'ici jusqu'au Tibre, aucune n'est plus belle, répondit Guillaume, et son nom est Liénor.

— En vérité, il y a longtemps que je n'ai pas entendu un aussi beau prénom.

— Ah oui ? Pourtant, reprit monseigneur Guillaume, il est fort répandu dans mon pays".

Et l'empereur de dire :

"Voilà trois jours que je ne pense qu'à elle (1), car on m'a affirmé que votre sœur est plus sage et plus belle qu'aucune autre demoiselle, et qu'elle n'est pas encore mariée, ce qui ajoute encore à ses charmes. Apprenez donc que je veux faire d'elle, s'il plaît à Dieu, mon amie et ma femme, et qu'elle deviendra la reine et la suzeraine de toutes les dames de l'empire.

— Si vous avez voulu vous moquer de ma sœur, répondit Guillaume, elle n'en sera pas pour autant atteinte dans son honneur. Mais si Dieu a pour elle prévu ailleurs une autre

---

(1) Ou bien : "Voilà trois jours que je me répète ce que l'on m'a dit de votre sœur : qu'elle est plus sage..."

dignité ou un autre beau parti, ce n'est pas sa beauté ni la grandeur de sa famille qui feront échouer ces projets. Dieu pourvoira à son mariage comme il l'entend, je n'ai pas à m'en préoccuper. Mais j'aimerais vous faire savoir que, si le souci de ma dignité avait quelque importance à vos yeux, je serais profondément blessé de vous avoir entendu exprimer, à propos de ma sœur, une proposition dont je sais bien - et j'en souffre - qu'elle ne saurait se réaliser à aucun prix (1).

– Pourquoi ?

– Parce que les princes, les grands seigneurs et les dignitaires de l'empire, s'ils entendaient faire une telle proposition, la taxeraient de sottise. C'est la fille du roi de France qu'il vous faut demander en mariage avec l'accord de vos barons ; laissez en paix l'orpheline. Je l'aime plus que n'importe quelle reine au monde, je vous l'assure. Elle est mon espérance, ma vie, mon trésor, ma félicité. La moindre de ses grâces remplirait de joie toute autre femme. Quand son voile ne dissimule plus ses cheveux (2), elle éclipse tout le reste".

Cet éloge dithyrambique plongea le roi dans une profonde réflexion.

"Soyez sûr d'une chose, fit-il : il est impossible qu'elle ne devienne pas ma femme, si du moins le Tout-Puissant me préserve du malheur. Et, pour vous délivrer de tout soupçon, je vais vous dire comment. Les plus grands princes et les barons du royaume et de l'empire m'ont cent fois prié et fait dire, au nom de Dieu, de me marier, afin que, si je mourais ou partais outre-mer en pèlerinage, ce fût un roi de mon lignage qui me succédât : un autre roi, qui n'eût pas reçu la même éducation qu'eux, pourrait bien être à leur égard plus cruel que je ne l'ai été. Je ferai donc leur volonté. Pour mener à bien cette affaire, dès que nous arriverons à Cologne, je demanderai aussitôt à mes chevaliers de rédiger des lettres et des missives pour tous les barons d'Allemagne, afin qu'aucun d'eux, puissant ou humble, ne s'abstienne de venir à Mayence, le premier jour de mai, pour tenir à mes côtés une assemblée. Alors je les prierai habilement de m'accorder un don qui me manifeste leur amitié et leur

---

(1) Sur ce passage, voir P. Le Gentil, *op. cit.*, t. II, pp. 382-383.

(2) Etre desliee pour une femme, c'est "avoir la tête débarrassée de sa guimple" (Servois).

gratitude. Je suis certain qu'ils me l'accorderont. Aussitôt qu'ils me l'auront généreusement promis, je les inviterai à me le confirmer sur-le-champ par un serment, en sorte qu'ils ne pourront plus se rétracter. Ensuite, je leur ferai connaître mon intention d'épouser votre sœur, étant donné qu'aucune femme n'est plus digne de l'honneur d'être impératrice.

— Seigneur, s'écria Guillaume, je vous en suis infiniment reconnaissant. Maintenant je suis persuadé que vous parlez sérieusement."

Guillaume lui tendit alors ses mains jointes, en ajoutant qu'il était à lui pour toujours, à cause de la générosité et de la sagesse que l'empereur avait manifestées en lui exposant son dessein.

Ils terminèrent la journée en se divertissant joyeusement. Ils ne rejoignirent pas la route, mais allèrent tous deux à travers champs. Le roi demanda à Guillaume :

"Connaissez-vous ce couplet ?

"Il faut être fou, quoi que l'on dise,
pour croire que je cherche ailleurs,
car je préfère ses refus
à l'amour d'une autre femme.
Je sers volontiers maintes gens,
bien qu'ils soient de cruels trompeurs.
Si je fais toutes leurs volontés,
c'est que chacun d'eux peut la voir."

Ensuite, leur voyage s'accomplit sans aucune fatigue jusqu'à l'entrée de Cologne. Un comte et le duc de Bourgogne, pour faire honneur à l'empereur, l'escortèrent à travers la cité où il y avait plus d'un prince et plus d'un grand personnage. Aussitôt après le souper, on fit faire et sceller d'or massif des lettres et des messages que dans toutes les provinces portèrent des serviteurs plus rapides que des chevaux.

Le roi avait un sénéchal qui tenait en fief le pays d'Aix-la-Chapelle et qui n'avait plus paru à la cour depuis la venue de Guillaume. Or le voici, qui vint à Cologne, accompagné de plus de vingt chevaliers, qui étaient tous de haute valeur. L'empereur lui reprocha fort d'avoir tant tardé :

"Sénéchal, fit-il, est-ce à cette heure que l'on vient à la cour ? En France, au temps du bon roi Louis, vivait un certain

Bouchard le Vautre qui à mon avis se rendait à la cour plus volontiers que vous ne le faites".

Pendant un bon moment, l'empereur le brocarda et le plaisanta. L'autre, qui avait l'habitude de ces boutades, se contenta d'en sourire, car c'était lui qui, après le roi, gouvernait toute la maison. Personne n'osait rivaliser avec lui dans les affaires importantes et urgentes (1).

Durant les quinze jours que l'empereur résida à Cologne et dans ses châteaux des environs, le sénéchal, tout-puissant favori, resta à ses côtés, épiant les faits et gestes du noble chevalier et de son seigneur qui honorait tellement notre héros qu'ils ne pouvaient se séparer au point de souhaiter être toujours ensemble aux champs et dans les bois comme à la maison.

Le sénéchal qui portait un écusson aux armes de Keu sur son bouclier à bosse de laiton, devint rapidement fort jaloux de Guillaume. Il l'emporta en fourberie sur Keu tout au long de sa vie. S'il était toujours avec les deux amis, c'était pour les tromper et les abuser : il cherchait à découvrir la raison de leur profonde amitié. Il les épia si bien en cette journée que Guillaume en vint à parler de sa sœur et qu'il entendit aussi l'empereur lui souhaiter beaucoup de chance avant d'échanger la ceinture de son compagnon contre une qui lui avait appartenu.

Tandis qu'appuyés tous deux à une fenêtre qui ouvrait sur un verger, ils écoutaient après le repas les chants variés des oiseaux, l'empereur improvisa ces couplets :

"Quand les vergers se couvrent de feuillages,
que l'herbe est verte et la rose épanouie,
quand au matin j'entends monter le chant
du rossignol qui au bois s'égosille,
envers Amour ne sais quel parti prendre,
car jamais n'eus envie d'autre richesse
sinon d'amour,
et ma dame, seule, peut me porter secours.

Parfait amour n'existe pas sans peine
car il irrite et fâche les médisants.
Ma dame ne puis servir à son gré

_____

(1) P. Le Gentil (*op. cit.*, t. II, p. 384) comprend : "Le roi ne faisait rien d'important contre l'avis du sénéchal".

au point de devenir son chevalier servant.
J'endurerai les mensonges des gens
tout juste capables de calomnier
l'amour vrai,
et ma dame, seule, peut calmer ma douleur."

C'est la malchance qui poussa l'empereur à chanter ces deux couplets, car il en résulta pour eux de grands tourments. Mais si mal il y eut, ce fut par la faute de celui qui l'avait recherché et provoqué. Le sénéchal se dit :

"Je me suis convaincu que ce n'est pas pour les qualités de Guillaume que l'empereur lui porte une telle affection, mais bien à cause de sa sœur".

Pourquoi donc s'en affectait-il, le félon ? Il n'aurait absolument rien perdu à l'affaire. Mais il serait devenu fou s'il avait vu quelqu'un d'autre obtenir un avantage sans en avoir lui-même sa part. Il les quitta le cœur dévoré de jalousie et s'en retourna chez lui. Jamais brigand ne s'appliqua autant à méditer son coup ni à chercher un moyen de les brouiller par tromperie ou par traîtrise. Il imagina une ruse incroyable dont personne ne s'était jamais avisé ; pour réaliser une mortelle trahison, il se prépara à partir pour le manoir de Guillaume. Il laissa plus de la moitié de ses gens auprès du roi. Ainsi s'évertuait-il à tromper, y appliquant toute son attention. Il fit courir le bruit qu'il se rendait dans son pays pour régler une affaire, mais qu'il reviendrait sans tarder : par Dieu, le roi n'avait pas à s'en offusquer, et il devrait charger quelqu'un de ses affaires jusqu'au retour du sénéchal.

Avec deux compagnons, il quitte le château très discrètement. L'esprit tout occupé par le vaste projet de sa tromperie, poussé par le diable qui l'ensorcelle, il ressasse son plan pendant tout le parcours : il parlera à la jeune fille et lui transmettra mille saluts de son frère ; il ajoutera que l'empereur l'a envoyé parler à sa mère afin de savoir comment elle va et si elle n'a besoin de rien, car il ne lui veut pas moins de bien qu'à son fils. Ces propos lui permettront d'avoir bien vite une connaissance complète de leur situation et de leur état. S'il peut apprendre quelque chose de précis, il pense qu'il aura fait du bon travail.

Il leur fallut cinq grands jours pour gagner le solide manoir où demeurait celle qui en beauté surclassait vraiment les autres de la même manière que les jours d'été éclipsent les froides journées d'hiver. Leur très rapide chevauchée les conduisit à proximité de la maison forte, où, sans tarder, le sénéchal, pour annoncer à la dame sa venue, se fit précéder au plus vite d'un écuyer sur un cheval vif et nerveux. Le jeune homme alla directement vers la demeure, au grand galop de sa monture qui n'était ni fatiguée, ni boiteuse.

La dame dont la mise était si nette, se trouvait devant son logis en train d'appeler ses jeunes paons. Le messager descendit dans la cour et, laissant son roussin aller librement, il se dirigea vers la dame à la manière d'un homme poli et posé :

"Madame, dit-il, je suis un envoyé du sénéchal de l'empereur qui vient aujourd'hui même vous rendre visite pour honorer votre fils.

— Mon ami, je lui en sais un gré infini, répondit-elle, et vous m'en voyez ravie. Vite, ordonna-t-elle à ses gens, montez préparer les lits !"

Ah ! si vous aviez vu mettre vivement sur les lits des tapis et de grandes couvertures à écussons, riches et élégantes, dont la maison était bien pourvue ! La dame a jeté sur ses épaules un grand manteau gris bordé de fourrure, qui n'avait pas un cordon en fil et dont le drap fin était teint en rouge (1).

Conduit par son démon, le sénéchal descendit de cheval au milieu de la cour avec deux compagnons. La plupart des serviteurs se précipitèrent pour prendre les chevaux, tandis que la dame, qui était parfaite, s'empressa de venir au-devant du sénéchal, le saluant sans tarder et lui souhaitant la bienvenue.

"Madame, je vous salue tout d'abord de la part de mon seigneur, ensuite au nom du plus valeureux chevalier que jamais mère portât en son sein.

— Seigneur, bénis soient l'empereur et vous-même ainsi que tout ce qui touche à son auguste personne. Que Dieu notre Seigneur le préserve de la honte, lui qui est le meilleur prince du monde !"

---

(1) Nous avons repris la correction de P. Le Gentil, *op. cit.*, II, p. 384. Mme Lejeune (*éd. cit.*, p. 156) comprenait : "Il ne faut pas traduire *paine* du v. 3283 par "doublure du manteau", en le considérant comme un graphie de *pene*. Il faut plutôt voir dans *paine* une forme de *peine (poena)* ; l'expression est ironique, et on peut traduire *être en peine de* par *en faire les frais*".

Elle envoya chercher des chevaliers qui venaient de la quitter pour aller jouer aux échecs en ville chez un prêtre. Si elle ne proposa pas de rafraîchissements au sénéchal, c'est qu'elle entendait lui offrir l'hospitalité.

Le prenant par la main, elle l'emmena dans une belle salle jonchée de verdure, s'asseoir devant un lit, sur un siège fait de petits coussins (1).

"Faites mettre ces chevaux à l'écurie, dit-elle.

— Madame, répondit le sénéchal, c'est impossible, car tous les baillis et seigneurs de la région de Besançon doivent comparaître devant moi demain matin pour régler un important différend. Mais je me serais couvert de honte et d'opprobre, et la cour m'aurait blâmé si j'étais passé par ici sans faire un détour pour vous saluer. Votre fils, le meilleur homme qui puisse exister, en aurait été très affecté. Il a acquis sur mon maître une influence et un pouvoir exceptionnels, si forte est sa personnalité (2). Lui et moi portons le même écu et sommes compagnons d'armes".

Elle versa des larmes de joie, affirmant qu'elle en était ravie.

"Seigneur, acceptez au moins de manger.

— Madame, je ne peux vraiment pas ; mais, avec votre permission, j'aimerais voir votre fille" (Je le crois bien !) "Où est-elle donc ?

— Dans sa chambre, avec sa suivante.

— Par Dieu, est-ce qu'elle ne viendra pas ?

— Non, et je le regrette. Je ne mens pas, croyez-le bien, mais je dis, seigneur, l'exacte vérité : aucun homme ne peut la voir, du moment que son frère n'est pas ici.

— Madame, cette nouvelle me navre, mais il faut que je me résigne. En raison de votre amitié que je désire conserver toute ma vie, ma chère dame, je vous laisserai mon anneau que voici en témoignage d'affection".

La dame ne le refusa pas, de peur de paraître moins courtoise aux yeux du sénéchal. Si elle avait mis l'anneau dans

---

(1)   Nous adoptons la correction de F. Lecoy : *cossinius*.
(2)   Voir P. Le Gentil, *op. cit.*, t. II, pp. 381-382.

une balance, il aurait pesé cinq besants d'or ; quant à la pierre, elle était très précieuse, puisque c'était un rubis balais.

"Seigneur, grand merci, fit-elle : ce joyau me plaît vraiment beaucoup".

Avant qu'il ne montât, pour s'en retourner, sur son cheval que l'on tenait devant le seuil, elle lui a confié tous les secrets de sa vie et de sa maison. Quelle extraordinaire vertu possède un beau cadeau ! Il fait dire et faire bien des sottises. Ne lui a-t-elle pas tout dit de la rose que sa fille porte sur la cuisse ?

"Jamais personne au monde ne verra une chose aussi merveilleusement belle que la rose vermeille qu'elle a sur sa blanche et tendre cuisse : elle éclipse toutes les merveilles de la terre, je vous le certifie".

Elle en décrit en détail l'extraordinaire beauté, elle lui en précise les dimensions. Le brigand veut tout connaître, tout découvrir. Quand il n'eut plus rien à apprendre de ce que l'on peut raisonnablement savoir par une simple conversation sans le secours de la vue,

"Il se fait tard", dit-il à la dame qu'il laissa et quitta en l'assurant de son fidèle dévouement.

Pour cette pauvre vieille sans cervelle, quel malheur qu'elle ait vu ce jour et cette heure ! L'autre monta sur son palefroi noir comme mûre après avoir pris congé :

"Madame, dit-il, je m'en vais en me déclarant vôtre à tout jamais.

— Cher seigneur, que l'apôtre saint Pierre vous accompagne, vous et vos compagnons !"

Ainsi s'en va cette perfide canaille comme pressée par la nécessité. Bientôt un grand malheur va fondre sur elle et sur les autres.

Il serait bon maintenant de savoir ce que faisait le noble roi. Pendant le voyage de ce misérable, il séjourna dans ses châteaux, s'adonnant au plaisir de la chasse avec les chiens et les oiseaux, en compagnie de nombreux chevaliers ; à son coucher, il aimait écouter les ménestrels. Il y en avait un tout petit, extraordinaire, qui appartenait à ses chambellans ; il était aussi fluet (1) qu'un hareng, et s'appelait Cupelin. Chaque matin il jouait pour l'empereur :

"Malgré le don d'une blanche pelisse,
elle eût préféré le joli Thierron.
Oui, oui, je le disais bien,
de la pastourelle je n'obtiendrais rien."

Le roi appréciait beaucoup ce jeune homme. Quittant Brasseuse près d'Ognon, Hugues (2) vint à la cour où l'empereur le pressa fort de lui apprendre une danse exécutée par les demoiselles de France sour l'ormeau près de Trumilly où l'on a organisé plus d'une joyeuse partie. Il lui fit chanter à la vielle ce couplet sur la belle Marguerite qui sait si bien exécuter la chanson nouvelle :

"La belle d'Oisseri
jamais n'oublie
de venir à la fête.
Elle est si jolie.
qu'elle a embelli
les jeux sous l'ormeau.
Des roses nouvelles
couronnent sa tête.
Quel beau visage coloré !
Quels yeux vifs ! Quel air modeste !
Pour être enviée des autres,
elle portait de beaux joyaux."

Et chacun de dire :

"Cette dame est vraiment plaisante.

– Celles de la cour ne le lui cèdent en rien, fit le roi, si vous le voulez bien".

Voilà ce que fit le bon seigneur jusqu'au retour du sénéchal. La nuit qui précéda le moment où revint cette canaille, le noble roi n'avait jamais été ni plus heureux ni plus charmé. Et depuis sa naissance, Guillaume n'avait jamais connu en nul endroit un si grand bonheur. Il attendait dans l'allégresse le jour où se

---

(1) Ou "tendre" par antiphrase ironique (c.a.d. "sec. dur"). Voir la note de R. Lejeune, *op. cit.*, p. 157.

(2) Cf. R. Lejeune, *éd. cit.*, p. 157.

tiendrait l'assemblée de Mayence : elle occupait ses pensées, parce qu'il espérait en retirer un grand bien. Mais je crois qu'il lui faudra auparavant boire d'un très amer breuvage, car sa haute naissance ni sa grande noblesse ne lui seront d'aucun secours, et même sa valeur chevaleresque ne lui servira à rien. Ah ! mon Dieu, voici une affaire qui arrive à point : un homme s'attend à être honoré, et il est accablé de tant de chagrins et de tant de douleurs qu'il a grand-peine à faire front ! Ah ! mon Dieu, que comptait gagner l'homme qui a tramé contre lui ce forfait ? Jamais depuis le temps de Robert Macié on n'a perpétré semblable trahison.

Pendant que l'empereur s'abandonnait à la joie, le sénéchal revint à la cour où ses amis l'accueillirent chaleureusement. Le roi l'interpella avant même que l'autre eût pu le saluer :

"Sénéchal, dit-il, vous n'avez fait que l'aller et retour, il me semble".

Une fois qu'ils furent réunis, le brigand l'abreuva de paroles mensongères : sachez que, pour faire traverser en même temps les chèvres et les choux, il était loin d'être sot, fort habile ensuite à leurrer son maître.

"Sénéchal, dit celui-ci, j'aimerais vous parler tout à loisir.

— Seigneur, comme il vous plaira, je suis à votre entière disposition.

— Nous allons le voir : maintenant plus question de retarder ni de repousser cet entretien".

L'empereur s'éloigne des autres chevaliers, et tous deux vont s'installer sur un balcon.

"Sénéchal, je suis d'avis que nous nous rendions à Mayence. Voici qu'arrive le mois de mai : il faut à tout prix que j'y sois, car toute la noblesse de mon empire doit s'y trouver début mai. L'an dernier vous n'avez cessé, vous et tous mes barons, de me démontrer et de me répéter, sans vous gêner, que je devais me marier. J'y ai longuement réfléchi et j'ai conclu que, dans mon cas, c'était le parti de la raison et du bien général, car désormais je suis assez âgé. Si j'ai eu le cœur volage, ce fut un péché de jeunesse, que l'on taxerait à l'avenir de folie ou de négligence. Pour une fois il est bon que ma volonté le cède à celle de mes barons.

– Seigneur, ces paroles vous honorent ; c'est sans aucun doute Dieu qui vous inspire. Si les barons de votre empire étaient maintenant convaincus que vous voulez prendre femme, rien ne saurait les réjouir davantage. Votre cœur penche-t-il vers l'une plutôt que vers l'autre ?

– Si l'albâtre vaut beaucoup mieux que la pierre de taille de Reims, eh bien ! il y a autant de différence entre celle que j'aime et les autres femmes : c'est l'évidence même.

– C'est donc une dame de France, la fille ou la sœur du roi ?"

(Ah ! comme il l'éloigne en ce moment de ce qu'il s'imagine bien connaître !)

"Cette alliance vous apportera-t-elle de la terre ou de l'argent ou des alliés ? Tels sont les avantages que l'on retire du mariage.

– Ce sont de vraies richesses que l'on acquiert quand on épouse une demoiselle bonne, sage, belle, bien née et chaste.

– De nos jours il n'en existe pas beaucoup de semblables, reprit le cruel et vil sénéchal.

– Peut-être bien, répondit l'empereur. Mais, du moment que Dieu a fait naître une telle femme et que dans sa bonté il l'a parée de toutes ses grâces, pourquoi donc ne serait-elle pas aussi digne d'un royaume que la fille du roi d'Ecosse ou du roi d'Islande ?"

Le sénéchal aussitôt de lui demander s'il lui serait possible de révéler à quelqu'un qui elle est et quel est son nom, car il faudra bien qu'on le sache quand il aura rassemblé les sujets de son empire.

"Par ma foi, dit l'empereur, oui, je vais vous le dire : c'est la sœur de mon compagnon, le valeureux chevalier de Dole. Tous ceux qui auraient pu le voir hier, auraient affirmé : "Voilà un brave gentilhomme ! ""

– Qu'il soit un parfait chevalier, répondit le sénéchal, rien à redire sur ce point. Il peut facilement se comparer à toute l'élite de l'empire. Pour la parure et l'habillement, aucune femme ne saurait rivaliser avec sa sœur ; et, si la beauté peut contribuer à la gloire d'une femme, je le dis tout net : celle-ci emporterait le prix. Mais il y a en elle quelque chose d'autre, un défaut, qui interdit ce mariage, car si les princes et les hauts seigneurs de votre royaume venaient à le savoir, toutes les grandes qualités qu'ils verraient en elle ne leur feraient pas accepter que vous, qui l'aimez tant, la preniez pour femme légitime.

– Pourquoi donc ? On lui reconnaît une beauté exceptionnelle de corps et de visage.

– C'est, dit le sénéchal, l'avis de ses familiers.

– Par mon âme, vous êtes incapable de vouloir le bien ! Quel peut donc être cet empêchement ? Pourtant elle est très vertueuse et très sage, elle a tout à fait l'âge qui convient. Liénor, la belle orpheline".

Tout ce que l'empereur avance, l'autre le repousse, s'acharnant à faire le mal.

"Je ne vois aucune manœuvre ni aucun prétexte qui puisse différer ma décision. Si elle n'est pas la sœur du roi d'Angleterre, je ne la méprise pas pour autant. J'aurai assez de biens et de terres tant que je vivrai. Sénéchal, c'est votre jalousie ou votre mauvais naturel qui vous poussent toujours à choisir le pire ! Si vous aviez réussi à me détacher de Liénor, vous auriez commis un très grand péché."

L'empereur l'a tant pressé de questions que l'autre, oubliant toute retenue, finit par lui dire qu'il a défloré la jeune fille ; et, pour le prouver, il lui a fait une description détaillée de la rose sur la cuisse. Atterré, le roi se signe et, au bout d'un moment, dit d'une voix affligée :

"Jamais roi n'a perdu sa reine avant même d'avoir disposé ses pièces sur l'échiquier. Il faut se résigner puisque Dieu ne veut pas qu'il en aille autrement. Faites en sorte que son frère et seigneur n'en ait pas le moindre soupçon. Malgré tout, je veux me rendre à Mayence demain matin."

Sachez qu'il se mit en route dès le point du jour et qu'il lui fut très pénible de parcourir ce jour-là une longue étape.

"Dieu, dit-il, comme cette demoiselle est née sous une mauvaise étoile ! Durant toute ma vie, je haïrai l'homme qui m'a annoncé sa chute et sa déchéance. Il n'y pas deux mois et demi, je ne pouvais rien imaginer de semblable, car tout cela m'était étranger. Il faut vraiment que ce traître haïsse le bien d'autrui pour l'avoir déflorée. Beaucoup en pâtiront sous peu, c'est certain".

S'éloignant du chemin et du gros de la troupe, il s'en va tout seul à travers champs, le cœur serré par une grande tristesse, la main posée sur l'arçon de la selle. Il lui revient en mémoire les beaux vers de messire Gace Brûlé qui le réconfortent : un homme de bien ne gagne rien à s'affliger inutilement. Il entonne sur un ton assez haut :

"Je dis que c'est une folie
de s'enquérir et d'enquêter
sur sa femme ou sur son amie
aussi longtemps qu'on veut l'aimer.
Combien il vaut mieux se garder
de rechercher par jalousie
ce qu'on ne voudrait pas trouver !"

Sans prendre le temps de se détendre et de se reposer, l'empereur a voyagé jusqu'à Mayence dont les citoyens lui prodiguèrent de nombreuses marques d'honneur et de respect.

Les gens du roi n'eurent pas besoin de recourir à saint Julien pour trouver un logis : chacun eut le sien, très agréable et tout à fait conforme à ses goûts et à ses vœux. L'empereur a fort apprécié les marques d'honneur que lui ont données ses sujets ; mais toute la cour se désole de le voir si affligé. Ah ! mon Dieu, cette grande amitié que, voilà seulement trois jours hier, il portait encore au valeureux chevalier, qu'est-ce qui a pu la troubler ? Si Guillaume avait osé s'enhardir jusque-là, il lui en aurait demandé la raison, car il avait assez d'intelligence et de jugement pour soupçonner en son cœur tout autre chose que de l'amour.

Comme l'empereur se trouvait un jour dans son palais en petite compagnie, il appela le beau et élégant chevalier, monseigneur Guillaume de Dole, que Nature a poli et façonné pour lui donner beauté, intelligence et valeur :

"Mon cher ami, lui dit-il, venez avec moi vous divertir dans le verger."

La main dans la main, n'en déplaise aux envieux, ils s'y rendent sous les yeux mêmes du sénéchal. Guillaume, touchant la broche de son vêtement, se mit à sourire. Aussi l'empereur, son seigneur, lui demanda-t-il :

"Par la foi que vous me devez, dites-moi ce qui vous fait sourire.

– Je souris d'une prophétie qui va bientôt se réaliser. Et ce n'est pas étonnant, car rien ne peut normalement arriver contre la volonté de Dieu. Or l'autre jour je dus à ma renommée d'être convoqué auprès de vous par une lettre marquée de votre sceau, lequel portait, gravé au ciseau, un beau roi à cheval. C'est ma sœur qui m'a donné cette broche, et moi, je lui ai fait don de votre sceau. Elle me dit alors, avec un gracieux sourire : "Mon cher frère, me voici bien heureuse d'avoir un roi à mon service".

L'empereur répliqua :

"C'était fort bien dit, et, je vous l'affirme, il s'en est fallu de peu que ce ne fût la vérité : je comptais l'épouser, mais maintenant, je m'en rends compte, c'est impossible.

– Vous vous railliez de moi en me laissant croire une telle folie ! C'est réellement une grande bassesse que de se moquer d'une femme de cœur.

– Les grands de ce royaume ne l'accepteraient à aucun prix.

– Dieu, lui, ne l'a pas rejetée, mais il l'a comblée : a-t-elle manqué jusqu'à ce jour de biens et d'honneur ?"

L'empereur fut désolé de le voir si affligé :

"Oui, les choses ne se passent pas comme vous l'espériez. Sa réputation a eu fort à souffrir par la faute de certaines personnes qui l'ont fréquentée si bien qu'elle a commis une folie.

– Comment ! elle serait démente et insensée ! Pourtant, on ne l'a pas attachée, ni rasée, ni tondue ! Dieu, dans sa bienveillance, lui a donné une belle chevelure blonde (1).

– J'ai sur elle des renseignements certains que m'a procurés un homme bien informé. J'ignore s'il l'aime ou s'il la hait, mais il l'apprécie fort sauf sur un point : elle n'est plus vierge.

– Vous l'accusez de la rage, et vous me faites payer cher vos noces en me couvrant publiquement d'opprobre, et vous déshonorez ma sœur en lui reprochant quelque chose dont vous n'avez pas la preuve. Si Dieu lui avait promis et destiné cet honneur, elle n'a pas été victime d'un mauvais traitement, ni

_____

(1) Tout le passage est ironique : Guillaume ne croit pas encore au prétendu déshonneur de sa sœur.

d'un dommage, ni d'un viol, au point de devoir jamais subir la moindre perte.

– En voulez-vous la preuve ? C'est la rose qu'elle porte sur la cuisse, si belle d'ailleurs qu'il n'y en eut jamais de telle sur un rosier ou un écu."

Voilà l'argument qui convainc Guillaume et disculpe le roi. Notre héros faillit à ce mot s'évanouir de détresse. Il s'imaginait que personne ne connaissait l'existence de cette rose, à l'exception de sa mère et de lui-même. Il rabattit aussitôt sur son visage son manteau qui était tout neuf, et regagna sur-le-champ son logis.

L'empereur, le cœur serré, s'en revint tout seul au palais, incapable de trouver, par de beaux discours ou des prières, le moyen de pouvoir faire bonne contenance. Il lui fallait accepter cette situation, puisqu'il n'y avait pas moyen de faire autrement. S'il avait pu se venger d'Amour, il ne s'en serait pris qu'à lui : n'est-ce pas lui qui l'avait incité à aimer, sur son seul renom, la demoiselle au beau nom ? Avec des soupirs et des pleurs, le cœur gros de colère, il accuse Amour de trahison et de cruauté dans les vers de sa chanson ·

> *"Pour quel forfait et pour quelle raison*
> *me tenez-vous, Amour, si loin de vous*
> *que je ne reçois secours ni guérison,*
> *sans personne qui me prenne en pitié ?*
> *J'ai bien mal employé mon dévouement :*
> *de vous je n'ai reçu que des malheurs.*
> *Jamais, Amour, je n'avais regretté*
> *de vous servir ; aujourd'hui, je me plains :*
> *c'est sans raison que vous m'avez tué."*

Sachez-le, ce grand personnage, cet empereur, ce puissant seigneur, ce n'est pas sans douleur ni tristesse qu'il renonce à l'amour de la demoiselle, car le mal qui lui ôte toute joie possède encore son cœur. De son côté, le valeureux chevalier est en proie à une profonde douleur : il se tord et se frappe les mains.

"Ah ! pourquoi la mort ne m'a-t-elle pas emporté avant que ce malheur n'arrive ?"

Ses compagnons sont tous venus l'entourer, ainsi que ses gens, désemparés au point de ne savoir que faire. Il lacère son beau visage en criant :

"Malheureux ! Hélas ! Vraiment, quelle décadence ! Je peux bien l'affirmer à présent."

Personne n'a le cœur assez endurci pour ne pas le prendre en pitié, s'il l'entendait ainsi parler, lui, le plus beau, et le plus élégant des hommes ; personne ne le voit sans le plaindre du fond du cœur.

"Hélas ! font ses gens d'Allemagne, dont il s'était éloigné (1). Dieu ! il se meurt ; regardez : il ouvre la bouche comme un insensé !"

Un de ses neveux, revenu d'une promenade à cheval dans la campagne, entend, tandis qu'il descend la grand-rue, le tumulte qui trouble le logis de son oncle. Il ne lanterne pas en route : dès son arrivée, à peine descendu de cheval, il se précipite vers Guillaume ; il est loin de sourire quand il lui demande ce qu'il a :

"Personne, je l'affirme, à moins de le deviner, n'en saura jamais rien de ma bouche."

Le jeune homme n'a pas de peine à comprendre qu'il s'agit d'une affaire d'amitié ou d'amour, car un homme de cette valeur n'aurait jamais manifesté une aussi grande affliction pour un simple préjudice matériel.

"Mon oncle, dites-moi la vérité : avez-vous reçu des nouvelles de Madame ou de Mademoiselle ? Quelqu'un de nos amis est-il mort ?"

— Mon neveu, la cause de cette affliction, c'est l'infâme, la garce, l'ordure...

— Mais qui donc, par les cinq plaies du Christ ?

— Liénor, l'infâme roulure qui s'est écartée du chemin de l'honneur et qui a détourné de moi ceux qui me servaient."

Et le neveu de demander :

"Dites-moi comment."

Guillaume lui expose la situation, lui raconte comment elle les a couverts de honte, alors qu'elle devait devenir impératrice le premier jour de mai. Il reprend toute l'affaire : son seigneur

---

(1) Voir sur ce point P. Le Gentil, *op. cit.*, p. 385, dont nous acceptons la proposition : "Ahi !" font ses genz d'Alemaigne (Des quex genz a fait dessamblée). "Diex !..."

l'empereur, séduit par la beauté de Liénor, voulait l'épouser. Sous le coup de la douleur qui lui brise le cœur, le visage de Guillaume ruisselle de larmes.

"Mais elle n'est plus vierge : voilà pourquoi j'ai au cœur cette grande tristesse. Si le mariage ne se fait pas, c'est uniquement pour cette raison-là."

— Comment l'empereur l'a-t-il su ?

— A cause de la rose, m'a-t-il dit, qu'elle porte sur la cuisse. Je ne sais pas comment je pourrais me venger d'elle autrement qu'en pleurant.

— Oncle, pour un tel crime, elle mérite mille fois la mort. Si elle ne meurt pas au plus vite, c'est moi qui la tuerai de mes propres mains. Les femmes amènent toujours dans le jeu un mauvais coup qui déshonore leurs amis. Une fois que le diable a pris possession de cette engeance, elle ne se préoccupe pas de ce qu'elle peut faire, et il n'est rien qu'elle haïsse autant que son honneur quand il s'oppose à son désir. Vous risquez d'être couvert de honte pour la tenir en si haute estime : un homme de votre mérite et de votre valeur n'aurait jamais dû manifester un tel attachement. Mon cher oncle, n'ajoutez pas un malheur à un autre ! Que dirait-on, grand Dieu, si cette infamie entraînait votre mort ? Elle a raison, oui raison, de montrer sa vilenie de putain (1), car elle porte ainsi très bien son nom (2) de malheur que je rougis jusqu'aux oreilles de prononcer. Je pars pour mettre un terme à votre chagrin et pour laver cette tache."

Il se dirigea vers son roussin qu'il enfourcha sans ajouter un mot. Il suivit la route de Dole, affligé du malheur de son oncle qu'il venait de quitter. De quelle grande tristesse il emplira le manoir quand il s'y sera rendu, car c'est en pleurant qu'il a franchi la porte, sans que le neveu ait recommandé son oncle à Dieu, ni l'oncle son neveu !

Si le neveu s'en va, l'oncle reste, qui reçoit de très nombreuses visites tant de l'empereur que de beaucoup d'autres

---

(1)   Nous reprenons la suggestion de P. Le Gentil qui propose *jaïs* à la place de *raïs* (op. cit., p. 385).

(2)   Sans doute l'auteur joue-t-il sur *dole* ou il nous invite à voir un mot de la famille de *dolor, dolent, duel*, comme le veut R. Lejeune (*éd. critique*, p. 160). R. Ménage pense que le *sornons* en question est *raïs* (*jaïs*) et comprend : "Ce surnom que je lui donne, elle . . oien cherché, et je rougis jusqu'aux oreilles de le prononcer."

gens. Les joyaux et beaux présents du prince ne dormaient pas dans ses coffres. Tous les jours, il envoyait, une fois ou deux, prendre des nouvelles de Guillaume qui lui causaient le plus vif plaisir quand elles étaient bonnes. Un jour, il se souvint de la belle qui portait le surnom de Dole et qu'il louait tant sur la foi d'autrui, sans que ses yeux l'eussent jamais vue. Les beaux couplets de Monseigneur Renaud de Sablé lui revinrent en mémoire : poussé par la grande délicatesse de son cœur, il commença à les chanter pour apaiser sa peine :

> *"Jamais plus de toute ma vie*
> *je n'aurai le cœur à chanter ;*
> *je préfère qu'Amour me tue*
> *et parachève ses ravages ;*
> *car femme ne sera jamais*
> *plus délicatement aimée.*
> *Je l'affirme à tout le monde :*
> *elle m'a tué en trompant Amour (1).*
>
> *Hélas ! voici qu'en ma folie*
> *j'ai cédé à la démesure ;*
> *C'est qu'en mon cœur est née l'envie*
> *d'être volage et trompeur.*
> *Ah ! Madame, je m'en repens.*
> *Mais c'est crier trop tard merci*
> *que d'attendre le jugement (2) :*
> *j'ai bien mérité la mort."*

L'empereur continuait à brûler d'amour : "Ah ! faisait-il, belle Liénor, comme le sénéchal m'a trahi ! C'est vous et votre frère qui êtes responsables de tout le malheur, de tout le mal." L'empereur, c'est sûr, désirerait l'épouser, mais maintenant il n'ose plus le souhaiter, car il n'ignore pas que c'est impossible.

Ah ! mon Dieu, que de vallons, que de collines a passés le neveu qui se rendait au manoir ! Il a tant tourmenté sa monture, tant chevauché de jour comme de nuit que le voilà rendu sans s'être arrêté en chemin, et descendu de cheval dans la cour. Aussitôt un valet de se précipiter, tout joyeux de son arrivée. Mais le neveu dégaine son épée et se dirige à grands pas vers la

---

(1) Ou : "en se trompant" (?).

(2) C'est-à-dire : "que d'attendre, pour le faire, le moment du jugement."

salle. Dieu fasse que quelqu'un lui barre la route pour éviter qu'il ne commette une folie ! Sur le seuil, il s'est écrié :

"Où est la garce, la roulure, qui serait suzeraine et impératrice si elle n'était pas une putain ?"

Mais, comme il trébucha sur une pièce de bois et tomba avec son épée, un serviteur qui avait mis à la broche une oie entre deux canards et qui n'était ni malingre ni poltron, se précipita sur lui et l'immobilisa de ses bras. Le neveu n'a plus alors la possibilité de faire beaucoup de mal si ce n'est en paroles, d'autant plus qu'un autre lui saute dessus et le prend par le cou, et qu'à deux ils le tiennent solidement.

Sa tante accourt aussitôt vers lui, stupéfaite et bouleversée, en disant :

"Notre Dame sainte Marie, que votre cher fils vienne aujourd'hui à notre secours !

– Honte à vous, la vieille ! Vous devriez être percée de coups pour l'avoir si mal gardée !

– Mais qui donc, cher neveu, je vous en prie ?

– La fille, oui la fille, que je vais aujourd'hui même tuer de mes propres mains si je la trouve."

Il s'élance avec violence vers la porte de la chambre pour y pénétrer.

Sa cousine qui l'entend crier ouvre la porte et se précipite dehors.

"Ah ! déloyale Liénor, dit-il aussitôt, c'est vous que je cherchais.

– Attachons-le avec une courroie ; regardez-le, il a perdu la raison.

– C'est faux, répliqua le jeune homme. Je sais fort bien ce que je dis. Il y aura mardi sept jours seulement que j'ai quitté Mayence, et voici en quel état j'ai laissé mon oncle : ou il est déjà mort, ou il est en train de mourir. Par ma foi, que la mort cruelle perce le cœur de la femme déloyale qui l'a déshonoré, abaissé, avili en perdant cette haute dignité ! C'est cette femme-là, cette femme à la tresse, que je voudrais avoir tondue avec la lame de cette épée !

– Dites-moi, cher neveu, que s'est-il passé ? Comment ma très chère fille a-t-elle pu mériter ce châtiment ?

– Quel déshonneur et quelle perte elle a subis ! En effet, l'extraordinaire valeur de son frère avait si bien disposé l'empereur, le renom de sa beauté l'avait si bien séduit qu'il devait l'épouser. Mais une raison l'en a détourné : il a dit qu'elle avait perdu sa virginité."

En l'entendant, la mère et la jeune fille, qui savaient très bien que l'accusation était fausse, de leurs beaux yeux et de tout leur cœur souffrant, pleurèrent à chaudes larmes.

"Mon neveu, dit la mère, que des armes cruelles me déchirent le corps et que ma fille soit noyée sous mes yeux s'il est vrai que l'on vous ait jamais dit un si affreux mensonge !

– Vous auriez tort de le jurer, car il n'y a aucun doute à avoir sur son déshonneur : ne porte-t-elle pas le dessin d'une rose, près de la hanche droite, sur sa cuisse blanche et potelée, que je voue aux flammes de l'enfer ?

– C'est sur moi, s'écria la mère, que doivent retomber toute la honte et tout le blâme."

Elle ferme les yeux et s'évanouit, désespérée par la détresse de son fils que son neveu a laissé dans un état si critique, entre la vie et la mort. Comme le diable est terriblement jaloux quand il voit faire du bien à quelqu'un !

Comprenant qu'il ne gagnera rien à se battre, le jeune homme remet l'épée au fourreau, plein de pitié pour son aïeule que sa fille (1) étreint et embrasse. Pendant que la mère demeure étendue sans connaissance,

"Mon Dieu, dit Liénor, donnez à chacun, au sénéchal et à nous, ce qu'il a mérité, en fonction du bien et du mal que nous avons fait ! Dire que ma mère lui avait réservé un accueil si chaleureux, si aimable ! Qui aurait pu redouter qu'il en dût sortir ensuite un malheur pour nous ?

La mère poussa un soupir et ouvrit ses yeux remplis de larmes :

"Malheureuse, voici venu le moment où je vais m'en aller dans la douleur. Le sénéchal auquel je me suis confiée a réussi à me tuer. Je ne voyais pas de mal à lui raconter cette histoire : il a apporté une bien vile conclusion aux propos qu'il me tenait

---

(1) Au vers 4002, nous corrigeons, comme F. Lecoy, (éd., p. 183), *mere* en *fille*.

l'autre jour en m'assurant de sa profonde affection lorsqu'il me
donna cet anneau. Il me l'aura fait payer cher, son joyau, si je
perds mon fils Guillaume !

— Ma chère mère, avant la fin d'avril qui est déjà bien
proche, j'aurai dévoilé sa bassesse et son mensonge. Je
l'amènerai à avouer qu'il a inventé tout ce qu'il a fait accroire au
roi. Avec l'aide de Dieu, on n'a rien à redouter, et, ne craignant
que Dieu, je ne crains pas de commettre une faute qui me ferait
perdre davantage (1).

Bien qu'elle fasse bonne contenance, au fond d'elle-même
elle est toute désemparée. Elle prie ardemment le Saint-Esprit de
l'assister de ses conseils ainsi que sa mère et toute sa maisonnée
que son malheur a bouleversée. Si elle perd l'éminente dignité
qui consiste à devenir la femme de l'empereur, le sénéchal aura
réussi, par sa ruse, à les trahir et à les détruire.

"Madame, dit-elle, envoyez chercher des chevaux ; je vais
aller voir mon frère à la cour. Jamais une homme d'une aussi
haute valeur ne mourut pour un malheur comme celui-là.
Depuis longtemps on a l'habitude dans le monde de dire du mal
plutôt que du bien. Mais il est une chose que je tiens à vous
affirmer : je reviendrai toute joyeuse, car Celui qui a nourri ses
fidèles de cinq pains et de deux poissons, en considération de
notre bon droit, préservera notre honneur."

Elle fit demander deux vavasseurs, deux hommes de bien,
qu'elle voulait emmener. Sa ferme lucidité réconforte sa mère et
les habitants du manoir. Son neveu, qui s'était emporté si fort et
que l'on avait eu tant de peine à calmer, passa la journée à
préparer le voyage, s'y employant activement. La garde-robe
personnelle de la demoiselle remplit deux beaux coffres : jamais
orpheline n'en eut autant, ni n'eut autant de bijoux, car elle
avait déjà préparé tout son trousseau. Jamais jeune fille ne fut
aussi avisée : les événements le démontreront, comme ils l'ont
déjà démontré.

De bon matin, quand elle partit, on échangea beaucoup de
baisers en pleurant : "Chère fille, je te recommande à saint
Honoré, où que tu ailles.

(1)   P. Le Gentil (op. cit., p. 386), propose : "Je ne crains rien, si ce n'est Dieu ; surtout j'ai la
certitude de n'avoir commis aucune faute dont j'aie dorénavant à redouter les funestes
effets."

— Chère mère, que Dieu vous assiste, Dieu en qui j'ai placé toute ma confiance."

Quand arriva pour la jeune fille le moment de monter à cheval, personne n'aurait assisté à la séparation sans être contraint de pleurer, quand bien même il aurait dû emprunter des larmes. Avant qu'elle ne fût partie pour tout de bon, la désolation fut générale. En pleurant, toutes et tous la confient nommément à Dieu. Pour elle, sa mère fait de tout son cœur d'instantes recommandations   à son neveu. De ses yeux ruissellent des larmes brûlantes. Ah ! mon Dieu, comme il eût mieux valu ce jour-là que le sénéchal fût encore à naître ! Tout affligés, les deux chevaliers qui emmènent Liénor quittent la maison, tandis que ceux qui restent conduisent la mère jusqu'à un lit en la soutenant par les bras. Elle croit avoir perdu à jamais sa joie et sa gaieté.

"Désormais il n'y aura plus de bonheur ici, car la demoiselle l'emporte avec elle" disaient les gens qui l'accompagnèrent jusqu'à la porte du manoir. Jamais on ne laissa derrière soi dans une ville autant de douleur qu'elle le fit à Dole. Les habitants la recommandèrent à Dieu qui veilla fort bien sur elle, et Liénor en fit de même pour eux. La voici maintenant en route : que Dieu la protège ! Il ne manquera pas de le faire, j'en ai la certitude.

Il serait intéressant maintenant de savoir ce que faisait son frère. Il demeurait insensible à tout, même aux paroles apaisantes qu'il entendait. Chaque jour, l'empereur lui rendait visite ou lui envoyait quelqu'un pour le réconforter. Il lui prodiguait toutes les paroles qu'il pensait capables de soulager sa peine. Le bon, le généreux roi vint le trouver un soir après le souper, sans aucun autre compagnon qu'un chevalier et Jouglet. Ils entendirent un jeune homme chanter la belle chanson du vidame de Chartres. Jamais personne, pensa l'empereur en chevauchant, n'avait mieux dit ces vers et cette mélodie :

"Quand s'installe la saison du beau temps,
quand le bel été brille de tous ses feux
et que les êtres, à moins d'être mauvais,
retournent tous à la vraie nature,
je dois chanter, ne pouvant plus me taire,
pour oublier la cruelle aventure
qui m'a causé le plus grand des malheurs.

Impossible de cacher ma douleur :

Je ne puis m'y soustraire, tant elle m'accable.
Pourquoi ai-je vu ces traits si charmants
qui m'ont plongé dans un si grand malheur
que personne ne peut le dissiper,
sauf ce noble cœur, envers moi si dur
que je suis mort, si mon mal se prolonge ?

"Jouglet, dit le roi, ces vers ont été composés, j'en suis sûr, spécialement pour moi."

Jour après jour s'écoula toute la seconde quinzaine d'avril, pendant laquelle les barons du royaume devaient tous se rendre à Mayence. Ils s'y réunirent dans l'allégresse, comme le montra leur extraordinaire entrain à l'avant-veille du premier mai. A minuit, tous les citadins sortirent pour se rendre au bois. La ville avait la réputation d'être le temple de la gaieté. Le matin, quand le jour fut bien clair, tout chargés de fleurs, de glaïeuls, de rameaux verts et feuillus, ils apportèrent leur arbre de mai : on n'en avait jamais vu d'aussi beau avec ses glaïeuls, ses fleurs et sa verdure. A travers la cité, selon la coutume, ils le transportèrent dans l'allégresse, tandis que deux jeunes gens chantaient :

"Tout là-bas, sur le rivage,
compagnons, il faut chanter.
Que j'ai le cœur gai !
Compagnons, il faut chanter
en l'honneur de mai !

La chanson terminée, ils montèrent leur mai aux étages et l'exposèrent aux fenêtres, embellissant tous les balcons ; sur les pavés, partout, ils jetèrent de l'herbe et des fleurs pour célébrer la solennité de ce jour et de cette haute assemblée. Les témoins purent jurer que jamais en aucun lieu où ils se rendirent, ils ne virent prodiguer autant de richesses qu'on le fit à Mayence. On avait tendu de draperies les rues en long et en large ; on avait richement garni tous les pignons des maisons de soies précieuses, de fourrures d'hermine, de damas et de soies orientales. Il était impossible de trouver un seul endroit qui ne regorgeât de richesses.

Mais la demoiselle au beau nom, qui arrivait de son manoir le cœur rempli d'affliction, avait de tout autres préoccupations que ceux qui participaient à cette joie. Son long chemin finit par la conduire, de bon matin, en vue de Mayence. Ce jour-là, sans ambages ni détours, elle s'adressa à ses deux chevaliers :

"J'aimerais beaucoup, si vous en étiez tous deux d'accord, que dès maintenant mon neveu partît en avant pour nous réserver un logement, et je tiens à lui recommander sans attendre qu'il m'éloigne le plus possible de l'endroit où réside mon frère, son oncle.

— Madame, répondirent-ils, que l'un des écuyers parte donc avec lui, car il est nécessaire que l'un ou l'autre, peu importe lequel, revienne à notre rencontre."

Aussitôt le neveu de quitter sa tante, suivi d'un compagnon. A travers la cité, qui était sans conteste la plus riche et la plus belle, ils s'en allèrent par les rues écartées à la recherche d'un logement pour la jeune fille. Notre Seigneur leur fit rencontrer une hôtesse, la meilleure qu'ils aient jamais vue : comme deux bourgeoises revenaient de la messe du matin, l'une de celles-ci, qui avait plus de sagesse qu'une femme du peuple, emmena le neveu chez elle, dans sa très confortable maison, sise dans une rue assez écartée. Elle montra aux jeunes gens la chambre, belle et gaie, ainsi que les écuries (1). C'était une délicieuse demeure, car elle comportait un jardin et un puits.

"Messieurs, fit-elle, je ne puis vous montrer ma maison autre qu'elle n'est.

— Madame, elle contient tout ce que l'on peut souhaiter. Que Dieu vous accorde une bonne journée !"

Immédiatement, l'un d'eux monta à cheval pour aller au-devant de la compagnie. Le logis était beau et agréable, bien que sobrement décoré. Le jeune homme, au moment où il franchissait la porte de la ville, rencontra ses compagnons auxquels il rapportait de bonnes nouvelles sur le logement : les deux envoyés leur en avaient retenu un, très confortable et tout à

_____

(1) Voir la note R. Lejeune (op. cit., p. 162) :
      "4215-4228. Mussafia (p. 25) s'inquiète de ce qu'il croit être des contradictions ou de
      singulières licences chez l'auteur. En effet, dit-il, alors que le "neveu" est accompagné
      d'un valet pour chercher un logement, on trouve successivement :
           1) Damedeus lor dona un hoste.
           2) l'une l'en maine a son hostel
           3) La chambre bele et envoisiée lor mostra.
           4) Segnor, fet ele...
      En réalité, l'auteur ne pense aux deux compagnons que pour montrer leur chance, leur
      satisfaction. Mais quand il s'agit d'affaires à traiter, il ne se souvient que du neveu-
      chevalier : c'est le neveu seul que l'hôtesse se préoccupe d'emmener à son hôtel, le valet
      devant le suivre tout naturellement ; et c'est au chevalier seul qu'elle s'adresse comme il
      se doit, pour vanter sa demeure."

fait conforme à leurs souhaits. Les deux chevaliers y conduisirent la noble et honnête jeune fille qui dissimulait sa tête sous un chaperon. Dans la cour, ils l'aidèrent à descendre de cheval. La bourgeoise, par l'escalier, courut à sa rencontre pour lui souhaiter la bienvenue. La prenant par sa blanche main nue, elle la conduisit tout droit dans sa chambre. Liénor lui demanda aussitôt pourquoi cette grande assemblée s'était réunie dans la ville en ce premier jour de mai. Son hôtesse lui exposa ce qu'elle avait appris par ouï-dire : l'empereur, leur seigneur, devait parler de son mariage ; aussi avait-il convoqué et assemblé les grands barons de son royaume, conformément à l'usage et à la raison, pour leur demander conseil. La belle Liénor affirma :

"Puisse Dieu lui inspirer les décisions qu'il jugera les plus utiles ! J'aurais volontiers assisté au spectacle jusqu'au bout, sans un bien triste empêchement. (1)"

Des larmes plus claires que l'eau de rose lui coulent le long du visage, à cause de l'injustice qui, elle le sait bien, se commet : si Dieu ne fait pas un miracle éclatant, elle perdra à la fois son honneur et son frère. Son cœur souffre le martyre à la pensée de sa mère : voilà la raison de ses larmes.

Elle fit venir son neveu et ses chevaliers pour délibérer avec eux :

"Seigneurs, je voudrais vous demander de m'indiquer lequel de vos serviteurs est le mieux préparé et le plus habile pour porter de ma part un message à un noble seigneur de la cour."

L'un des chevaliers lui nomma un de ses valets qui était habile et avisé : "Oui, j'en suis persuadé, il s'acquittera bien de la mission que vous lui confierez."

Sur-le-champ, elle le fit appeler dans sa chambre et donna congé à son neveu, à ses chevaliers et à ses gens. Elle dit au bel et élégant jeune homme :

"Vous irez de ma part porter au sénéchal cette broche, cette étoffe brodée et cette aumônière. L'ensemble porte les mêmes motifs, et l'aumônière contient un très bel anneau serti d'une émeraude. Prenez garde que personne ne vous voie.

---

(1) P. Le Gentil *(op. cit.*, p. 386) interprète : "J'aurais aimé voir cela complétement, mais ce serait pour moi, dans la situation où je me trouve, une chose trop triste."

Vous lui direz que c'est la châtelaine de Dijon qui lui envoie ces présents et que c'est pour lui qu'ont été brodés sur le tissu ces oisillons et ces petits poissons. Cher ami, retenez ces paroles : dites-lui que vous avez quitté Dijon mardi pour venir le voir. Aujourd'hui sera un jour faste pour vous si vous vous acquittez bien de cette mission.

– Si Dieu me protège de tout accident, n'ayez aucune crainte.

– Je sais, poursuivit la jeune fille, qu'il l'a longtemps courtisée sans qu'elle consentît jamais à lui donner aucun gage pour répondre à son amour. Mais un jour elle s'est rendu compte qu'elle manquait vraiment de délicatesse. Aussi lui fait-elle dire que, s'il désire qu'elle accepte un jour de le voir, il lui faut ceindre sous sa chemise, sur sa peau nue, cette étoffe qu'elle lui envoie. Si vous constatez qu'il l'a fait, ajoutez que, par cet anneau qu'elle a retiré de son petit doigt, elle cède à ses prières et qu'elle est affligée de l'avoir si longtemps éconduit. Je le tiens d'une jeune fille qui lui a souvent servi de messagère. Mon très cher ami, soyez prudent : s'il veut vous faire parler davantage, dites-lui qu'elle vous a ordonné de ne rien ajouter pour cette fois, si ce n'est qu'elle est impatiente de le voir et qu'elle fera bientôt le nécessaire. Vous le trouverez chez lui ou devant le roi en réunion.

– Ne craignez rien, répondit-il, je finirai bien par le trouver."

Il se met alors en route sans délai. Puisse Dieu le guider et le ramener !

La dame dont Liénor occupait la chambre revint avec les autres, que la jeune fille appela pour dire aux chevaliers qu'il était temps pour eux de revêtir les robes fourrées qu'elle leur avait récemment fait acheter et couper dans une fine étoffe violette. A chacun d'eux elle a donné des gants blancs et une jolie ceinture brodée d'or et ornée d'écussons pour accompagner les robes neuves qui étaient aussi élégantes que belles. Son neveu lui prépara sa propre parure, une pure merveille, faite de soie bleue doublée d'hermine : il n'a jamais existé de fourrure si blanche ni si fine ni mieux travaillée. Sur une chemise blanche ornée de fleurs, elle se contenta de passer une tunique de soie verte,

entièrement fourrée, corps et manches (1). Elle avait les hanches
plutôt basses, la taille bien prise, la poitrine parfaite. Ses seins
fermes gonflaient un peu le tissu de soie. Nature avait réalisé là
un bel ouvrage : aussi, malgré tous les mensonges du sénéchal,
s'il plaît à Dieu et au Saint-Esprit, tout le mal retombera-t-il
bientôt sur lui. Son cou était long, plein, blanc à souhait, sans
scrofules ni rides. Jamais demoiselle, compte tenu de sa tristesse
et de sa douleur, ne s'entendit mieux à se parer et à se vêtir. Pour
rehausser la beauté de sa gorge, elle mit à sa chemise une broche,
un chef-d'œuvre de ciselure, en or précieux et d'une admirable
exécution, qu'elle plaça assez bas en maintenant une échancrure
large d'un doigt si bien que l'on pouvait apercevoir sa poitrine
plus blanche que la neige sur les branches, ce qui ajoutait encore
à sa beauté.

Pendant qu'elle fixait sa voilette sur sa tête et mettait sa
ceinture pourvue d'une boucle dont l'or valait plus de vingt-cinq
livres, le valet, qui n'avait rien d'un fou ni d'un ivrogne, ne perdit
pas une minute à flâner : il trouva en pleine assemblée l'homme
vers qui il était envoyé et, lui adressant très poliment la parole en
termes anodins, il l'entraîna avec une singulière habileté hors du
palais, près d'un haut mur. Une fois qu'il se vit en sûreté et à
l'abri des regards, il enleva le manteau de son cou avec les
gestes d'un serviteur tout à fait stylé :

"Seigneur, dit-il, je suis le messager de la plus sage et de la
plus noble des femmes. Oui, c'est de la part de la châtelaine de
Dijon que je suis venu, sans m'être arrêté depuis mardi, en
chevauchant à étapes forcées. Elle vous fait savoir, et je vous le
dis, qu'elle se rend à vos prières par le don de cet anneau que
voici et elle vous envoie une pièce d'étoffe brodée."

_____

(1) Voir, sur ce passage, le commentaire de R. Lejeune (*op. cit.*, p. 163) : *"Robe*, me paraît
avoir ici un sens plus général que *cote* : c'est la parure en général dont on peut dire. à
première vue, qu'elle est de samit. et que sa bordure est en hermine. Les v. 4353-4 sont
une parenthèse destinée à dépeindre cette bordure. La *cote* fait penser à quelque chose
de plus particulier. C'est une pièce de vêtement bien déterminée et assez simple (v.
Eunice Rathbone-Goddart, p. 103), sur laquelle on met, d'ordinaire, une chape, un
peliçon, un surcot. Ici, Liénor ne porte rien sur sa *cote*, et voilà pourquoi l'auteur dit
qu'elle passe sur sa chemise d'apparat (elle est *aflourée)* une *cote en puret* (c'est-à-dire
sans manteau). Toutefois, pour corriger ce que ce détail pourrait avoir de trop peu
élégant, Jean Renart ajoute : "Mais cette cote de samit, toute simple, était doublée,
corps et manches, d'une autre soie précieuse, de *cendal".* C'est une sobriété de grand
couturier ! Il est amusant, du reste de noter avec quel soin l'auteur nous décrit, ici et
plus loin, la simplicité étudiée de la mise de Liénor. Voir par exemple le détail de la
chemise aflourée, maintenue à la gorge par un "fermail", mais de telle façon que le
décolleté soit savant."

Une fois les présents retirés de la housse qui les enveloppait,

"Mon cher ami, s'écria le sénéchal, que Dieu donne à ma dame joie et bonheur !"

Il contemple longuement la broche, l'anneau, la ceinture et l'aumônière, complètement abasourdi et se demandant avec étonnement s'il faut expliquer par un miracle ou un prodige qu'elle se soit souvenue de lui. Quoi qu'il en soit, il accorde un prix tout particulier à ces présents ; sa joie éclate dans son regard et sur tout son visage (1). Le jeune homme sut, avec une audace consommée, débiter son mensonge et jouer son personnage jusqu'au bout, si bien qu'il réussit à convaincre le sénéchal de mettre l'étoffe à même son corps sous sa chemise, et l'autre l'a serrée si fort que la peau autour de sa taille est devenue toute rouge. Ensuite, comme il s'apprête à agrafer la broche, le jeune homme, qui se met à bâiller comme un fou pour dissimuler son envie de rire, ajoute :

"Elle m'a demandé de vous dire de laisser ce bijou dans l'aumônière de peur qu'à votre cou il ne fût reconnu, d'une manière ou de l'autre, par quelqu'un qui pourrait en crever de jalousie.

— Elle a parlé en femme avisée et sensée, mon cher ami, répond le sénéchal au messager. As-tu trouvé à te loger ? Comme tu le vois, nous avons tellement à faire que je ne puis m'occuper de toi ; mais, par le salut de mon âme, je préfère ces présents à plus de cent livres ! Ce soir, dès que je serai libre, nous parlerons de mon affaire. Maintenant, va-t-en et commande-toi une robe fourrée, un bon manteau, une tunique et un pourpoint. Il y aura quelqu'un pour payer la note, quand bien même elle s'élèverait à cent sous ou plus. Je n'ai rien d'autre à te dire, tu peux partir, occupe-toi de toi-même ; quant à moi, je retourne auprès du roi."

Ils ont vite fait de se séparer. L'écuyer exulte à voir l'autre si bien trompé : il n'a pas gaspillé sa salive ; et il repart sans perdre une minute. Il trouve sa dame habillée de telle manière qu'aucune femme ne peut l'égaler en beauté.

"Eh bien ! mon ami, quelles nouvelles me rapportez-vous de la cour ?

---

(1) Selon P. Le Gentil (op. cit., p. 387), "La joie éclaire son regard et son visage en est comme enveloppé."

– Il n'y manque pas de Flamands, petits et grands, et les barons s'y bousculent."

Ah ! oui ! comme elle brûle davantage de connaître le résultat de sa mission ! En tête-à-tête le jeune homme lui a raconté ce qu'il a fait. Il a réussi à obtenir deux fois plus qu'elle ne lui avait ordonné ; aussitôt, le tendre cœur de Liénor se gonfle de joie dans sa poitrine.

"Que Dieu ne m'accorde jamais d'être heureuse par moi-même ou par mes amis si je ne suis pas pleine de reconnaissance pour ce bienfait et ce service, car vous avez accompli à mon gré une action qui vous a acquis toute mon estime."

A ceux de ses compagnons qui avaient l'habitude de fréquenter les barons de la cour, elle dit :

"Seigneurs, allons donc voir cette grande assemblée ; si nous la manquons aujourd'hui, nous n'en verrons pas de si tôt une aussi belle."

Les serviteurs ont sur-le-champ amené de beaux palefrois. Celui de Liénor était gris pommelé et avait une belle crinière ; son harnachement était beau à souhait, le tapis de selle qui pendait jusqu'à terre était fait d'une fine étoffe d'Angleterre, doublée de soie jaune : l'étoffe, ajourée, laissait voir le jaune. Les arçons étaient non pas en bois d'aune, mais en ivoire orné d'émaux. L'on se contenterait volontiers, en cas de besoin, d'un harnachement un peu moins beau. Je ne sais pourquoi je prolonge la description, au lieu de dire plus brièvement qu'avant l'arrivée de Liénor à l'assemblée, il y eut plus de cent personnes pour la contempler sur son palefroi beau et racé, couvert d'un harnais élégant.

Avant de monter à cheval, la valeureuse jeune fille fit un geste d'une rare délicatesse en donnant à la bourgeoise, pour l'honorer et la remercier de son hospitalité, une bague à deux chatons dont chacun contenait une émeraude. Depuis la mort de Berthe au grand pied et d'Aude, la sœur d'Olivier, aucune femme ne mérita autant d'éloges, ni ne manifesta une aussi bonne nature.

Aussitôt ses chevaliers, s'aidant chacun d'un pan de leur manteau, mirent en selle la belle Liénor, puis se hâtèrent d'enfourcher leur monture. Une fois à cheval, ils arrangèrent si bien sa robe qu'elle ne s'y embarrassa à aucun moment.

Précisons qu'elle ne manqua pas de saluer son hôtesse en partant.

Une jeune fille peut bien se rendre à la cour d'un roi quand elle dispose d'un équipage et d'un train aussi somptueux, quand elle est si habile et si décidée. Les chevaliers l'ont placée entre eux, et chevauchent de part et d'autre. Tout le monde sans distinction lui souhaite bonne chance. Elle avait, au-dessus de la taille, le buste et le corps dégagés, et elle avait rabattu devant elle les deux pans de son manteau. Mais savez-vous ce qui la rendait encore plus belle ? C'est qu'elle avait découvert son visage. Une main à l'attache de son manteau, elle tenait de l'autre les rênes de son cheval. Tous ceux à qui elle adressait la parole affirmaient qu'elle avait la voix d'un ange. Tous les riches bourgeois de la Bourse se sont levés pour la saluer et tous ont loué dans leur cœur la modestie de son maintien.

"Celle-ci, disent-ils, ne trouverait pas son égale dans le royaume de France".

L'on aurait pu facilement couper la bourse des badauds qui s'attardaient à la regarder. Les harnais des chevaux que montaient ses chevaliers étaient beaux et tintaient clair. Les nobles dames qui se tenaient aux balcons, revêtues de fourrures d'écureuil et de petit-gris, auraient bien aimé posséder un seul de ses sourires. Tandis qu'elle les salue, ces bourgeoises remarquent :

"Pourquoi l'empereur, qui veut prendre femme, continue-t-il à chercher ? Mon Dieu, qu'il épouse cette dame !"

C'est bien la crainte de ne pas atteindre ce but qui inquiète Liénor, je puis vous le certifier.

Je vous rappelle que l'on avait apporté à Mayence l'arbre du premier mai. Il est bon maintenant d'apprendre quelle vie on menait au palais : on y entendait chanter chansons et mélodies par les ménestrels de tous les pays qui étaient venus là pour gagner de l'argent. La belle Doete de Troyes y chantait cette chansonnette :

> *"Quand revient la saison*
> *où l'herbe reverdit,*
> *quand il est juste et normal*
> *que l'on se réjouisse,*
> *j'allais seul*

et songeais
aux chants nouveaux
qui m'étaient chers.
Or trouvais
joyeuse fille
seule avec ses moutons :
elle s'amusait
de ses chansons.
Quelle allure élégante !
Ses cheveux flottaient au vent,
tout blonds et tout dorés.''

Revêtu d'un bel habit vert, un autre ménestrel, venu de
Châlons, chanta à son tour ce couplet :

"Le mal qui me ronge s'appelle Amour ;
mais il n'est pas comme les autres amours ;
aussi est-il normal que mon cœur souffre :
il sait trop bien comment on lui répond.
Et je me plains : "Quand finiront mes maux ?"
Mais que Jésus ne les fasse cesser
si après eux les biens n'en sont plus grands.''

L'empereur, d'une chambre où étaient ses barons, entendit
ce couplet. Il avait bien d'autres pensées que les seigneurs qu'il
avait rassemblés. Privé de sa joie, il ne savait que dire ni que
faire ; on voyait bien à son visage qu'il ne s'était pas remis de sa
peine depuis quinze jours.

La demoiselle se signa au moment d'entrer à la cour. Il y eut
bien trois cents personnes qui, sans soupçonner son inquiétude,
la montrèrent du doigt et dirent d'un commun accord : "Voyez le
mai, voyez le mai que ces chevaliers amènent !"

La joie déborde autour d'elle, tandis qu'elle descend au
perron. Jeunes gens et écuyers se précipitent pour lui tenir
l'éperon. Il y a là plus d'un millier de chevaliers de haute
naissance qui descendent des balcons et des étages du palais de
marbre, frappés d'émerveillement et de stupeur : "Ce sont des
jeunes filles comme celle-ci qui venaient autrefois apporter la joie
à la cour du bon roi Arthur.", font les gens qui tiennent la venue
de Liénor pour un miracle ou un merveilleux prodige. Les
chevaliers l'ont conduite avec déférence à la grande salle du
palais : jamais, me semble-t-il, elle n'avait vu un tel rassemble-
ment de si hauts personnages. Tout le monde se presse autour de

l'endroit où les chevaliers l'ont fait asseoir. Cette réunion, cette grande assemblée lui rappellent son cher frère : il s'était acquis une telle réputation par sa valeur et par sa hardiesse que l'empereur, pour l'honorer, avait convoqué tous ces gens, et avait pour lui une si profonde amitié qu'il voulait épouser sa sœur. Aussi, de pitié (1), se met-elle à pleurer à chaudes larmes, baissant la tête et poussant des soupirs. Un grand baron, le seigneur de Spire, et plus d'un autre en sont pris de pitié. Je puis vous dire qu'ils furent plus de cent à pleurer de compassion. Les larmes qui lui coulaient des yeux ne faisaient que la rendre plus belle. Les chanteurs ni leurs chansons n'arrivaient à l'égayer, bien qu'elle entendît entonner la chanson auvergnate que voici. Sans l'homme qui voulut la déshonorer - Dieu le punisse ! - elle eût été fort capable de chanter ce couplet :

> *"Que j'aime la voix céleste*
> *du rossignol au temps de Pâques*
> *quand la feuille est verte et la fleur blanche,*
> *quand l'herbe naît dans la prairie*
> *et que les jardins reverdissent.*
> *La joie me serait bien utile*
> *pour guérir et soigner mon corps."*

Le roi qui se tenait dans l'autre salle, n'était pas loin de devenir fou ; il ne trouvait aucun réconfort dans tout ce que l'on pouvait lui dire en conversant ou en chantant. Il entendait parler flamand par les barons réunis devant lui, sans oser leur souffler mot de ce qu'il avait pensé leur dire. Vraiment, celui qui lui avait causé un si grave ennui ne l'aimait pas du tout ! Tous attendaient de lui qu'il leur dît quelque chose, ou le fît dire par son mortel ennemi qui l'avait réduit à ce triste état. Tandis qu'il était plongé dans cette tristesse, affligé et abattu, assis sous l'arc de la grande voûte, voici que le sire de Nivelle lui apporta cette nouvelle :

"Seigneur, dit-il, vous n'êtes pas au courant ? Depuis la naissance de Dieu, même au temps du roi Arthur, est-ce le fait de votre chance ? je l'ignore - il n'est jamais arrivé une aussi extraordinaire aventure parmi les humains que celle qui vient de se produire là-bas au-dehors. (2)

     – Que dites-vous ?

(1) Ou : "s'attendrissant".

(2) R. Ménage propose : "... aucune créature n'a fait une aussi étrange et aussi belle apparition que celle qui vient de se produire hors du palais."

     – Il vient d'arriver une pure merveille, la plus belle, la plus parfaite. J'ignore si c'est une fée ou une femme, mais il n'est resté personne sur la place du marché, tous l'ont conduite en procession d'une maison de la ville jusqu'à la grande salle du palais, là-bas, au-dehors."

     Quand l'empereur entendit ces mots, mille marcs ne l'auraient pas rendu plus heureux.

     "Je ne sais si c'est la vérité ou une farce, dit le sénéchal, mais il serait bon de savoir s'il a menti ou dit la vérité. Allons-y !"

     Ecoutez comment ce méchant démon recherche lui-même son déshonneur ! Le roi ajouta :

     "Là où la foule se rassemble (1), je propose que nous allions".

     Il ne cherchait qu'un prétexte pour suspendre la réunion. Il se leva de son siège et se dirigea à grands pas vers le palais, suivi de tous ses barons.

     Malgré la douleur et l'affliction que la vaillante et sage jeune fille éprouvait tant pour elle-même que pour son noble frère, Liénor qui n'était ni bossue ni contrefaite reconnut l'empereur aussitôt qu'il quitta le conseil qui se tenait dans son appartement. Pour respecter l'usage en vigueur, elle saisit le cordon de son manteau ; mais comme elle le tirait de son cou pour l'enlever, le manteau s'emmêla si bien qu'elle accrocha les fronces qu'elle avait faites à son voile, emportant ainsi, à la vue de tous les barons du royaume, l'édifice, la ventaille et le casque dont elle s'était entouré la tête (2), en sorte que le blond doré de sa

_____

(1) Le sens du passage est douteux, comme le dit M. Lecoy. Nous proposons de ponctuer différemment pour faire passer *ou li toz en monte* dans la proposition qui suit ; ce qui donne : *Fet li rois : "Ou li toz en monte, je lo bien que nos i aillon"* Voir aussi P. Le Gentil, *op. cit.*, p. 386.

(2) Voir ici la note de R. Lejeune, *op. cit.*, p. 167 : "Le terme *hordeïs* n'est pas mentionné dans Godefroy. C'est un substantif tiré de *hourder*, encombrer, recouvrir. *Se hourder la tête*, c'était sans doute l'entourer d'un drap ou d'un voile, à juger par ces vers d'Eustache Deschamps :

    « Vielles seulent ainsi leur chief hourder,
    « Qu'on ne voie leurs fronces deshonnestes. »

La *ventaille* était l'ouverture du capuchon ou coiffe que les chevaliers portaient sous le heaume, et qui venait s'adapter au haubert. Mais le mot désigna vite la coiffe elle-même. Cette coiffe partait donc de la tête, couvrait les oreilles et entourait le menton. Ce dispositif - que l'on peut comparer à une sorte de mentonnière - existait aussi pour les femmes, mais il n'était jamais désigné comme ici par le terme *ventaille*.

chevelure inonda d'or, sur ses épaules, autour de son cou, son beau vêtement de soie bleue. Depuis le temps de saint Paul, nulle plus belle femme n'avait réjoui le regard des humains. Elle était si indifférente à son propre plaisir qu'elle ne se souciait pas de se tresser les cheveux ; mais pour les mettre en ordre, elle les avait séparés le matin avec une branche de bourg-épine et s'était coiffée à "la heaumière". Elle portait un diadème (1) à la manière des jeunes filles de son pays, et ses beaux cheveux ondulés tombaient en boucles le long de son visage. Le diadème, posé assez loin des yeux, ajoutait à son charme ; et·Nature, pour que l'on vît mieux son beau front, l'avait fait glisser en arrière.

C'est en proie à cette affliction et dans un semblable appareil que la jeune fille, toute désemparée, se laissa tomber aux pieds du roi en lui criant :

"Au nom de Dieu, pitié !

– Belle demoiselle, relevez-vous, dit l'empereur, vous me faites mourir !

– Je n'en feraı rien, à tort ou à raison, mais j'y resterai jusqu'au soir, si vous ne me promettez pas maintenant, sur l'honneur de votre couronne, de me rendre justice sur-le-champ, sans perdre une seule minute.

– Belle demoiselle, je vous le promets : je suis décidé à faire tout ce que vous voudrez."

Quant au *heaume*, il est certain qu'il n'a été jamais un ornement féminin, et, ici, il ne peut que désigner la partie extérieure et d'apparat de la coiffure de Liénor (ironiquement la *touaille* du v. 4721), par opposition au *hordeïs* et à la *ventaille*, coiffes protectrices placées sous cette touaille.

Ainsi donc, Jean Renart s'amuse à donner des noms d'ornements masculins à des objets de toilette féminins bien déterminés. En effet, tous ces détails, pour être joyeusement dénommés, n'en sont pas moins réels. On s'en rend compte en lisant la description, faite par Viollet-Leduc,(*Dictionnaire raisonné du mobilier français*, t. III p. 195), de la statue d'Eléonore de Guyenne. Les cheveux, nous dit-on, sont divisés en deux grosses nattes latérales croisées. Un bandeau retenait ces nattes latérales croisées. Au-dessus, un morceau d'étoffe, bridé sous le menton, était croisé sur le crâne et attaché latéralement avec une épingle (c'est la *ventaille* de notre texte). Enfin, par-dessus, le voile (la *touaille)*.

Toutes ces pièces se tiennent et l'on comprend facilement qu'en accrochant un détail, Liénor fasse crouler tout l'échafaudage de linges et de cheveux."

(1) Cf. R. Lejeune, *op. cit.,* p. 168 : "4736 et 4740. Le *chapelet* est sans doute ici un cercle de métal quelconque, placé à même les cheveux et sous les linges, et qui a seul résisté, parce qu'indépendant, à l'écroulement des autres pièces de la coiffure. Le chapelet *aide*, c'est-à-dire avantage Liénor, parce qu'il limite le désordre de la chevelure."

Il lui tend alors ses superbes bras et l'aide à se relever. Elle s'éloigne un peu de lui, manifestant une sage réserve. En présence de l'assemblée des barons, elle se lamente, elle se plaint à Dieu. Plus d'un pleure de compassion à la vue des larmes qui mouillent son beau visage, d'une beauté et d'une candeur extraordinaires, et sa gorge plus blanche que la neige. Je vous l'affirme : si elle avait étudié le droit pendant cinq années entières sans s'arrêter, c'est une vérité certaine, je ne vois pas pour quelle raison ni de quelle manière elle aurait pu plus parfaitement exposer sa plainte et son affaire. La noble et généreuse demoiselle parla ainsi :

"Noble et honoré empereur, au nom de Dieu, mon cher seigneur, écoutez-moi, et que Dieu m'aide, car j'en ai besoin. Un jour, il y a quelque temps, l'homme que voilà, votre sénéchal (elle le désigne à l'entourage de l'empereur) vint par hasard en un endroit où je faisais de la couture. Il m'outragea odieusement, puisqu'il me ravit ma virginité. Et après ce terrible outrage, il me prit ma ceinture, mon aumônière et ma broche. Voici pourquoi je réclame contre le sénéchal : pour mon honneur, pour ma virginité et pour les joyaux que j'ai perdus".

Elle n'ajouta mot et resta silencieuse. L'empereur, qui se sentait beaucoup d'affection pour elle, regarda le sénéchal qui faisait fi de tout ce discours qu'il tenait pour une pure invention et une rêverie : ce n'était de bout en bout qu'un tissu de mensonges (Liénor le savait mieux que personne). L'empereur dit alors :

"Sénéchal, il ne vous reste plus qu'à aller prendre conseil ou à répondre sur-le-champ à chaque point de l'accusation. Jamais en vérité je n'avais entendu quelqu'un vous accuser d'avoir commis une telle infamie".

L'autre répondit en présence de tous les barons : "Je n'ai aucun besoin de conseils. Que Dieu ne me laisse jamais repasser le seuil de cette porte, si jamais je l'ai vue ! Je nie solennellement ses accusations : jamais je ne lui ai pris sa virginité, ni ses joyaux à son détriment, ni sa ceinture, ni ses broches.

— Ecoutez la réponse du sénéchal, dit l'empereur : il nie vos accusations.

— En vérité, c'est de la bassesse. Il ferait mieux de parler différemment. Il ne sortira pas de cet hôtel sans qu'il en aille tout autrement (1), si du moins votre cœur ne manque pas à son devoir. Bon roi, au nom de Dieu, ne le prenez pas mal : vous venez de dire qu'il nie avoir jamais pris ma virginité, qu'il nie s'être jamais emparé à mon détriment de mon joyau et de ma ceinture. Or savez-vous de quelle façon cette ceinture était ouvrée ? De petits poissons et des oiseaux y étaient brodés à l'or fin ; quant à la broche, elle avait une grande valeur, puisqu'elle portait un rubis balais qui valait bien treize livres. Le sénéchal n'est pas tiré d'affaire, sachez-le : mais allez donc lui enlever ses vêtements et sa chemise : vous verrez qu'il a placé ma ceinture contre son corps, à même sa peau. Si ce n'est pas vrai, faites passer et repasser un char sur moi. Vous verrez aussi mon aumônière attachée à la pièce de tissu, sachez-le".

Le sénéchal aura bientôt besoin d'aide, me semble-t-il. Pour le moment il change de couleur et pâlit, car son accusation va paraître mensongère.

"Mon Dieu, font les barons de l'empire, le voici en mauvaise posture, si c'est vrai ! Oui, ce fut un crime ignoble, si du moins il peut en être convaincu.

– Seigneur, puisque vous m'avez promis de faire justice, faites examiner la ceinture, et prononcez votre sentence sans délai comme je vous le demande".

L'archevêque de Cologne était présent quand Liénor porta plainte :

"Il y a fort longtemps, seigneur, que votre cour n'a pas eu connaissance d'une affaire de ce genre. Il faut tarder le moins possible pour vérifier si elle a dit la vérité".

Aussitôt, sans que l'on admette d'objection, quoi qu'il en coûte au sénéchal et bien qu'il l'accepte à contrecœur, un chevalier lui tire et enlève sa robe et sa chemise, en sorte que chacun vit qu'il portait la ceinture bien serrée à même sa peau. Ainsi la preuve fut-elle faite sans que l'on eût besoin de recourir à un combat en champ clos.

"Gardez-le bien pour qu'il ne se sauve pas, fit l'empereur : vous m'en répondrez sur votre vie".

———————

(1) Ou bien "car ce n'est pas du tout cela qui arrivera"

Il ordonna à dix barons sages et âgés, par tout ce qu'ils ont, de le garder aussi précieusement que leurs vies et leurs biens.

"J'en suis affligé pour lui, dit le roi, car il m'a bien servi.

— Ah ! s'il plaît à Dieu, font les amis du sénéchal, il en aura la preuve en cette nécessité".

A quoi bon allonger cet épisode de propos inutiles ? Les gens, les barons sont cruellement embarrassés par cette ceinture. Certains affirment :

"On pourrait en trouver beaucoup de cette façon. Personne ne saurait démontrer par cette seule preuve que l'on doive exécuter le sénéchal. Il n'en serait pas question, si ne pesait sur lui la charge redoutable d'avoir déshonoré et violé la jeune fille ; car, pour les joyaux et le préjudice causé, il pourrait facilement en venir à bout".

L'un après l'autre, les barons vont supplier l'empereur.

"Tout ce que vous voudrez, je le ferai, à condition de préserver l'honneur de la demoiselle".

— Il n'est pas juste, disent-ils, de le mettre à mort pour un motif si léger.

— Tous vos propos sont inutiles. Je ne renoncerais pas, dût-on me donner mille marcs d'or, à le faire traîner par les rues ou brûler ! Ma terre est-elle maintenant livrée au désordre ? Je ne lui avais pas donné la charge de sénéchal pour qu'il s'adjugeât de tels joyaux !"

La demoiselle le remercie de ses paroles, car elle comprend qu'il va lui rendre justice, tandis que les barons retournent aussitôt auprès du sénéchal et lui disent d'aviser à la situation.

"Maudite soit la cour où l'on ne permet pas à un homme de se justifier par serment (1). Je pourrais faire jurer devant l'empereur, s'il l'acceptait, par cent chevaliers, que ce malheur et ce dommage sont tombés sur moi par magie. Car je ne suis pas du tout certain que cette ceinture lui ait appartenu ; mais pour l'amour de Dieu, au nom de notre éducation commune, au nom des services que je lui ai rendus et de l'amitié qu'il me porte, je demande à l'empereur de m'estimer encore assez pour m'accor-

---

(1) Sur tout ce passage, voir F. Lecoy dans *Romania*, t. 82, 1961, pp. 256-260.

der cette grâce : puisque j'ai affirmé que je n'ai jamais vu la jeune fille, que je n'ai pas cherché à la déshonorer, que je ne l'ai pas violée, je le prie de permettre qu'en récompense de mon dévouement, je me justifie par le jugement de Dieu ; et si je perds mon procès, qu'il me fasse pendre sur-le-champ ! Voilà la prière que je vous demande de lui transmettre".

Ses compagnons et ses gens se lamentent à grands cris sur son sort :

"Hélas ! pauvres malheureux désemparés que nous sommes, que ferons-nous ? Nous sommes perdus puisqu'aucun d'entre nous ne peut s'offrir à le défendre. Ses fourrures d'écureuil et de petit-gris, ses immenses richesses étaient toujours à notre disposition ; les destriers qu'il nous a donnés lui ont coûté plus de mille marcs. Maintenant on va traîner par la ville ou brûler cet homme qui n'est pas coupable".

Jamais on n'avait vu dans une demeure autant de gens s'affliger sur le sort de quelqu'un. La demoiselle elle-même s'en désolait, craignant d'avoir commis, en l'accusant, un grand péché.

Les barons sont retournés auprès du roi : en pleurs, ils présentent à genoux la requête du sénéchal.

"Pour l'amour de Dieu et de ses saints noms, disent-ils, que l'empereur leur accorde ce qu'ils demanderont, sauf le respect qu'ils doivent à son autorité et à ses droits souverains ; mais jamais aucun d'entre eux n'avait entendu parler d'une aventure de ce genre".

De pitié, l'empereur sentit ses yeux s'emplir de larmes, car le sénéchal avait mis tout son zèle à le bien servir pendant de nombreuses années :

"Seigneurs, je vous l'affirme solennellement, j'aurais préféré aller nu-pieds outremer plutôt que d'assister à cette affaire".

Les barons lui dirent en quelques mots la raison de leur venue : la jeune fille, en usant d'un charme, avait fait apparaître sur le sénéchal cette ceinture, et il en existe tant de cette façon qu'il est facile d'en trouver partout en grand nombre.

"Vous auriez mauvaise conscience de le faire périr pour cette raison. C'est pourquoi nous vous prions de vous contenter du premier démenti qu'il a donné tout à l'heure, lorsqu'il a dit qu'il n'avait jamais vu la jeune fille auparavant, ni autrefois avant ce jour, et que jamais il n'avait touché à son corps, la souillant en quoi que ce soit. L'affaire pourrait être tirée au clair s'il se justifiait par un jugement de Dieu. C'est ce qu'il vous demande en récompense de ses services, c'est ce que nous vous prions de lui accorder.

– Je ne le ferais pour personne, sauf si c'était la demoiselle qui le demandait".

Tous se jettent alors aux pieds de Liénor, la priant d'agir, au nom de Dieu et par égard pour eux, en sorte qu'elle acquière leur sympathie et leur gratitude ; tous tendent les mains vers elle :

"Ah ! madame, c'est mal faire que d'achever un vaincu".

Ils la harcèlent tant de leurs prières qu'elle leur cède généreusement, et elle supplie Dieu de faire à cette occasion un miracle qui manifeste avec éclat qu'elle n'a pas mérité de subir un préjudice. Tous au palais s'écrient : "Amen !". L'acceptation de Liénor transporte de joie l'empereur et ses compagnons.

Ensuite, sans que l'on s'attardât d'aucune manière, l'ordalie fut aussitôt organisée à l'église Saint-Pierre que du lierre recouvrait. Tous y vinrent, princes et seigneurs, avec le sénéchal que l'on amena, ainsi que la jeune fille, suivant l'avis des archevêques, pour constater la régularité de la procédure. A cause de la ceinture, des regards chargés de réprobation suivaient le sénéchal. Aussitôt qu'il eut pénétré dans l'eau que l'on avait bénie, aussitôt, plus vite qu'une lourde hache, il descendit tout entier au fond, se disculpant ainsi sous les yeux de la belle Liénor et de tous les autres assistants qui se pressaient autour du bassin. Les prêtres en louèrent hautement Dieu par leurs chants et par des sonneries de cloches. En grande liesse on reconduisit le sénéchal auprès de l'empereur qui, avec tous les autres, laissa éclater sa joie.

Sur-le-champ, la jeune fille est revenue au palais. L'affaire s'est déroulée exactement comme elle l'avait projeté. Sans prendre une minute de repos, elle se rendit devant l'empereur, tout heureux de l'honneur insigne que Dieu avait accordé au sénéchal. Ce n'était pas à l'allégresse générale qu'elle pensait, sachez-le, mais à la douleur qui lui serrait le cœur à cause de l'amour qu'elle portait à son frère.

"Mademoiselle, dit l'empereur, le sénéchal est maintenant innocenté.

– Celui que les prêtres chantent dans leurs livres, répondit la noble et généreuse Liénor, sait bien accorder de telles faveurs et aider les gens de bonne volonté. Demandez à vos gens de me prêter attention. Au nom de Dieu, sire, écoutez la fin de l'histoire : je suis la jeune fille à la rose, la sœur de monseigneur Guillaume dont la valeur m'avait procuré l'honneur de régner avec vous".

A ces mots, elle ressentit un tel désespoir que tout son visage fut sillonné de larmes.

"Cet homme - puisse-t-il être sous mes yeux déchiré par des armes cruelles - a fait jusqu'à notre manoir un voyage qui lui a permis de tromper ma bonne mère, car celle-ci lui dit tout sur la rose que je porte sur la cuisse. Ah ! grand Dieu, accorde-moi de triompher aujourd'hui, dans la mesure où alors nous n'étions que trois à connaître ce détail : mon frère, ma mère et moi. Il n'est pas étonnant qu'à vous raconter ici ma honte, je devienne folle.

– Grand Dieu, s'écrient les comtes dont certains étaient très contrariés, il est incroyable que l'on ait pu imaginer une telle traîtrise.

– Pourtant, le félon fieffé, qui n'a jamais aimé ma famille, vint donc vous dire avec impudence que je n'étais plus vierge. Celui qui fit de sa servante sa mère m'a déjà lavée, pour une part, de cette accusation. Je recouvrerai vraiment tout mon honneur, s'il plaît à Dieu, avant mon départ, à condition que votre cœur ne me fasse pas défaut. En effet, quand il nia posséder ma ceinture, si on l'avait alors traité selon la justice au moment où on la trouva en sa possession, on l'aurait sur-le-champ pendu honteusement, comme un homme déjà condamné. Mais les barons eurent pitié de lui et obtinrent par leurs prières que l'on reprît toute l'affaire et que l'on examinât son démenti selon lequel il ne m'avait jamais vue de sa vie, ni fait aucun tort qui me déshonorât. Grand Dieu, c'est vrai, il ne l'a pas fait ! Les barons ont pu le constater : le jugement de Dieu l'a mis hors de cause, et moi avec lui, il ne m'a pris ni ma virginité, ni mon honneur. Si l'honneur de régner sur ce royaume est destiné à la malheureuse éplorée qui est devant vous, pourquoi devra-t-elle le perdre, alors qu'elle n'a pas mérité ce châtiment ? C'est sur ce point que je demande à la cour de me rendre justice.

– Est-ce bien vous, mon cœur, mon amie ? s'écria aussitôt l'empereur.

– N'en doutez pas, répondit-elle, je suis la belle Liénor".

Alors, sous les yeux de ses gens, le prince se leva pour aller la serrer dans ses nobles bras : plus de cent fois, il baisa ses beaux yeux, son visage et son front.

"Réjouissez-vous, lui dit-il, car Dieu vous a fait un grand honneur".

Sous l'effet de la joie qui le transporte, ce chant a jailli de son cœur :

"Que demandez-vous
puisque je suis à vous ?
Que demandez-vous ?
Ne suis-je pas à vous ?
– Je ne demande rien
si j'ai votre amour."

Et les autres ont repris en chœur :

"Tendez tous vos mains vers la fleur d'été,
vers la fleur de lis,
Dieu, tendez-les vite !"

Ce fut leur « *Te Deum* ».

L'empereur ajouta :

"Tout est dit ; vous connaissez maintenant la raison qui m'a poussé à convoquer aujourd'hui en ce lieu cette grande assemblée. Je vous ai souvent vus soucieux de ce que je n'avais pas d'épouse ; vous redoutiez que mon royaume n'échût à quelqu'un d'autre qui ne fût pas aussi capable que moi de vous rendre honneurs et services. Il aurait fort bien pu arriver qu'il ne le fût pas. Ce que l'on apprend par l'éducation (1) est assez facile à suivre. Jamais je n'ai désiré vous servir avec autant d'ardeur que maintenant, aussi vrai que je demande à Dieu de préserver mon âme et mon corps au moment où le besoin s'en fera le plus sentir".

Il fallait avoir le cœur dur pour ne pas pleurer quand il eut tenu ce discours.

―――――

(1) "Dès le jeune âge".

"La Renommée qui vole partout me fit connaître l'existence de cette jeune fille. Voici la stricte vérité : c'est à elle que j'ai destiné cet honneur si du moins vous voulez, par amitié pour moi, accepter qu'elle soit la dame et la reine de mon royaume. Vous êtes mes seigneurs et maîtres : c'est pourquoi je ne veux pas et il n'est pas normal, quel qu'en soit mon désir, que ce projet se réalise, à tort ou à raison, si vous n'y consentez pas".

Ces mots les ont tous décidés à faire aussitôt sa volonté ; et chacun, pour obtenir ses bonnes grâces, de s'empresser de dire : "Je le veux". Sans plus discourir ni délibérer, ils furent unanimes pour donner leur accord. Leur bon seigneur, le pieux et doux empereur leur adressa mille remerciements.

"Par Dieu, s'écria-t-il, le noble chevalier Guillaume va recouvrer la santé".

Ah ! si vous aviez vu courir à leurs destriers ceux qui vont annoncer l'événement au frère de Liénor ! Ils le trouvèrent désespéré dans le verger de son hôte où le chant du rossignol ne le consolait guère. Mais la bonne nouvelle qu'il entendit chassa sur-le-champ tout son chagrin. Et ses gens dirent : "Il ne reste plus désormais, grand Dieu, qu'à faire la fête !"

Sur l'heure, Guillaume enleva sa robe fourrée sur laquelle il avait versé bien des larmes ; il en revêtit une de soie sergée, ornée de beaux écussons à ses armes sur la poitrine et sur les bras. Taillée pour la joie des yeux, elle n'avait jamais été portée. Elle était légère et faite pour l'été car la doublure était en plumage d'oiseaux. Ah ! mon Dieu, comme un brin de toilette lui rendit en un instant sa beauté ! Il monta à cheval accompagné d'une bonne centaine de chevaliers qui, pour l'honorer, le précédèrent et le suivirent sur de beaux destriers. Ils n'avaient guère chevauché quand un neveu de l'évêque de Liège, qui était un habile et joyeux compagnon, commença à chanter cette chanson :

"Voici Avril et les Pâques si belles.
Les bois fleurissent, les prés reverdissent,
Les claires eaux retournent à leur lit
et les oiseaux chantent soir et matin.
Quand on aime, on ne doit pas oublier
de visiter très souvent son amour.
...
Ah ! qu'ils s'aimaient, Aigline et le comte Guy !
Guy aime Aigline et Aigline aime Guy.

Sous un château qui s'appelle Beauclair,
en peu de temps un bal est préparé :
Les demoiselles y viennent pour danser,
les écuyers s'y rendent pour jouter,
les chevaliers y vont pour regarder
et les dames pour rire et s'amuser.
La belle Aigline s'y est fait mener,
vêtue d'une tunique de soie :
plus de deux aunes en balaient les prés.
Guy aime Aigline, et Aigline aime Guy."

Avant même la fin de cette chanson, un chevalier de la contrée, appartenant à la famille de Dammartin, commença cette mélodie poitevine :

"Quand je vois l'alouette au soleil
agiter ses ailes de joie,
perdre conscience et se laisser choir,
le cœur pénétré de douceur,
une grande envie me saisit
à cette vue.
C'est merveille que je ne délire
ou que je ne meure de désir.

Hélas ! je me croyais bien savant
en amour, et n'y connais rien !
Je ne puis m'empêcher d'aimer
celle dont je n'obtiendrai rien.
Elle garde tout : mon corps, mon cœur,
elle-même et le monde entier,
ne me laissant plus rien d'autre
que désir et folie au cœur."(1)

Les deux chansons terminées, un jeune gentilhomme se souvint des beaux couplets de Gautier de Soignies et commença à les chanter :

"Lorsque fleurit la bruyère,
quand je vois les prés verdir
et chanter à leur manière
les oisillons dans la ramure,
je soupire du fond du cœur,

_____

(1) Nous avons suivi le texte de Bernart de Vendatorn.

désespéré et affligé
par ma dame que ma prière
n'a pas réussi à gagner.

J'aime d'un profond amour.
Hélas ! j'en ai tant de peine !
Mon cœur en souffre toujours.
Hélas ! j'en ai tant de peine !

C'est bien folie et bassesse
que d'aimer sans rien craindre.
Et se vanter d'aimer,
sachez-le, ce n'est pas aimer.
L'amour doit être discret
partout et toujours,
pour que personne ne souffre joie
ou douleur, sauf celui qui aime.

J'aime d'un profond amour...."

Pleins d'allégresse, ils se rendent à la cour. Sur leur chemin, les gens s'exclament :

"Mon Dieu ! c'est le frère de la reine qui passe par ici !"

Et l'on répète pendant qu'il monte au palais :

"Il n'y entrera pas désormais de chevalier plus beau ni meilleur que celui-là.

– Quel beau jour pour moi, fait Guillaume, puisque je revois ma sœur que mon seigneur entoure de grandes marques d'honneur au point de la faire asseoir à ses côtés !"

Il retire son manteau de son beau cou et salue l'empereur à genoux.

"Mon cher frère, mon tendre et doux ami, dit Liénor, soyez le bienvenu !"

Il est bien naturel qu'un tel accueil lui ait fait verser quelques larmes. Il témoigne à sa sœur les marques de déférence que l'on doit à sa suzeraine. Je tiens à préciser qu'il se contenta de lui parler sans la toucher d'aucune manière, et que cette attitude plut beaucoup à ceux qui y prirent garde. Dans sa grande sagesse, il avait compris que la haute dignité de Liénor lui interdisait toute familiarité avec sa sœur, toute manifestation de tendresse. C'est elle qui a passé son bras gauche à travers les lacets du manteau de son frère. Le voici désormais seigneur et maître de la cour et des barons.

L'empereur prit alors la parole :

"Il est temps que je parle de mon projet. Me conseillez-vous d'attendre jusqu'à l'Ascension pour célébrer mes noces ?

– S'il plaît à Dieu, répondirent les barons, il faut les faire sans aucun retard.

– Sire, fit le duc de Saxe, par l'heure où Dieu naquit, faites donc ce que vous devez faire. Si chacun s'en retourne dans sa terre, il sera très difficile de nous rappeler, alors que maintenant nous sommes tous rassemblés ici.

– Voilà, me semble-t-il, dit l'archevêque, un excellent conseil.

– J'y consens donc, répondit l'empereur, puisque chacun de vous l'approuve" (Ah ! il est bien vrai que le cul tire plus que la corde (1), il n'est rien au monde que l'empereur souhaite plus ardemment). "Par Dieu, c'est parfait, du moment que c'est votre volonté. Allez vous préparer, monseigneur", dit-il à l'archevêque qui pour s'habiller se rendit à l'archevêché, suivi d'une bonne dizaine d'évêques.

Depuis que Dieu naquit d'une mère immaculée, jamais ville ne fut plus bouleversée en apprenant que Dieu avait réservé cette heureuse destinée à la jeune fille qui venait d'arriver à la cour. L'on fit appeler en hâte les dames de la cité qui étaient fort nombreuses - nobles femmes de chevaliers qui s'empressèrent de venir pour la parer et la vêtir. Après qu'Alexandre eut exécuté à Tyr le saut qui le fit tant admirer, il n'eut pas au cœur (2), j'en suis certain, autant de joie que l'on en éprouva ce jour-là. L'impératrice fut habillée d'une robe qu'une fée avait brodée ; pour la tisser, on ne s'était pas servi d'un quelconque métier ; mais jadis une reine de Pouille, pour se distraire, l'avait entièrement faite à l'aiguille dans ses appartements. Il lui fallut bien de sept à huit ans avant de l'achever. La naissance d'Hélène y était représentée : elle-même y figurait, ainsi que Pâris, son frère Hector et le roi Priam, et le bon roi Mennon qui multiplia les bienfaits ; des dessins brodés au fil d'or racontaient comment Pâris ravit Hélène, et comment la foule des chevaliers grecs vint ensuite la chercher. On y voyait aussi Achille qui tua Hector,

---

(1) Voir le *proverbe au vilain* : *plus vulva trahit corda quam fortissima chorda.*

(2) Ou bien « il n'y eut pas au cœur des gens ... »

provoquant une profonde affliction ; et l'incendie de la cité et du donjon par les Grecs que l'on avait cachés et dissimulés dans le cheval de bois ; et le pillage de la flotte grecque pendant qu'Achille restait couché sur les tapis de sa tente (1). Il n'existe à l'heure actuelle personne qui sache broder un aussi beau vêtement. La doublure n'était ni en petit gris, ni en écureuil ; mais sa fine fourrure à la délicate odeur était faite de zibeline noire et d'hermine dont les couleurs jouaient entre elles. Quand on possédait cette robe, on pouvait bien se dispenser d'en vêtir une autre. Personne ne la voyait sans l'admirer, car l'ouvrage était d'un prix incalculable. Mais chacun préférait le visage et la beauté de Liénor à sa parure.

C'est en grande liesse que les barons la conduisirent aussitôt à l'église. Personne n'avait jamais vu à la fois tant de brocarts d'or, de soies d'orient, d'étoffes diaprées, de soies sergées, ni tant de vêtements diversement ornés, les uns d'oiseaux, les autres de poissons, d'autres enfin divisés en quartiers. Les manteaux étaient doublés jusqu'en bas de peaux entières de belles zibelines.

Tout le trésor de l'église fut porté en procession à la rencontre du couple. Il y avait aussi un sceptre et, pour faire bref, tout ce qui était nécessaire au couronnement d'un empereur. Chacun des deux époux avait une riche couronne et l'archevêque les couronna immédiatement après le mariage. Alors, au milieu d'un faste princier, on célébra l'office complet du Saint-Esprit et de la Trinité.

Les serviteurs ont mis, chacun de son côté, tant d'empressement à accomplir leur tâche que, dès que l'on revint de l'église, on étendit les nappes sur les tables. Je ne sais pas pourquoi j'allonge mon récit de mots inutiles. Mais après que l'on eut présenté l'eau, on fit asseoir à côté de l'impératrice la fleur de la noblesse : des ducs et des archevêques, d'autres barons et des évêques. Parmi les gens qui étaient assis autour des tables fixes, beaucoup se demandaient avec émerveillement où l'on avait été chercher l'extraordinaire beauté de l'impératrice :

---

(1) R. Lejeune comprend de façon très différente (op. cit., p. 171) : "5348-9. Il, sujet de jut, se rapporte sans doute à drap. Le ms. donne desroubée, qui n'a aucun sens, qu'il s'agisse de qualifier la navie des Grecs devant Troie, ou qu'il s'agisse de décrire cette navie sur le tissu. Desroulée s'explique mieux : l'auteur entend probablement dire ici que le dessin de la navie, assez étendu, se trouvait sur la traine formée par le drap - et qu'il s'étalait aux yeux de tous, la traine se déroulant sur les tapis (v. ce mot au Glossaire)."

"Quels beaux pièges ont tendus ses aimables traits qui dérobent le cœur des gens ! Mais on ne saurait parler de vol.

– Le sénéchal doit bien regretter sa perfidie, disent-ils entre eux. Il devrait maintenant participer au service avec ceux qui ont hérité d'un fief et que leur noblesse autorise à servir quand leur seigneur porte couronne".

Chacun, ce jour-là, fit à table le service des mets dont son fief lui donnait le privilège, pour honorer leur empereur que son costume d'apparat embellissait.

"Si le sénéchal a perdu ce droit, disent les autres, c'est par sa faute. Il ne peut plus s'en sortir sans dommage, car l'empereur le méprise encore plus qu'un milan".

On venait de l'enfermer dans la tour, anneaux aux pieds et menottes aux mains. S'il réussit cette fois-ci à s'échapper, c'est qu'il connaîtra toutes les ruses de Renard. Un chanteur du pays de Thouars, qui était au service du seigneur d'Huy, se préoccupait fort peu du malheur du sénéchal, tout comme je ne sais combien de personnes qui chantaient d'une salle à l'autre :

"C'est là-bas, dit-on, là-bas en ces prés :
Vous ne viendrez pas, mesdames, danser.
La belle Aélis vient s'y délasser
sous le vert olivier.
Vous ne viendrez pas dans les prés
Car vous n'aimez pas.
J'ai droit d'y aller et droit d'y danser,
car j'ai belle amie."

Un comte remarqua :

"Je ne vois maintenant personne qui ait le droit de chanter cette chanson autant que monseigneur l'empereur.

– Oui, et, ajouta l'empereur, celle-ci aussi, qui peut bien remplacer un méchant intermède (1) :

"Là-bas, là-bas dans les prés,
- l'amour comble mon cœur -
les dames ont ouvert le bal,
mès yeux m'ont sauvé.

---

(1) Voir P. Le Gentil, *op. cit.*, p. 388 : "Je comprends : *qui vaut bien un mauvais entremets.* Autrement dit : *cette chanson, au milieu de ce repas de noces, tiendra lieu avantageusement d'entremets."*

L'amour comble mon cœur
selon mes désirs."

Cette chanson lui convient tout autant, c'est certain, et il peut bien la chanter à présent, car pendant ce festin il connaît tous les honneurs, toutes les joies.

Il n'est pas facile d'énumérer les plats, tant il y en eut de différents, sangliers, ours, cerfs, grues, oies, paons rôtis. Et ce n'est pas par mépris que les serviteurs ont servi du ragoût de mouton aux légumes, qui en mai est un plat de saison, et du bœuf gras, et des oisons gavés. Chacun eut les vins blancs et rouges qu'il préférait: L'empereur, lui, rassasia et reput ses yeux du spectacle de ses illustres barons et du visage de sa femme, la nouvelle impératrice. Celle-ci, ses gens l'ont regardée avec tant d'affection que le prince les en aime et estime davantage. Le noble frère de Liénor a pris une large part à cette joie. Je ne crois pas que l'on puisse jamais voir plus élégant chevalier que lui, lorsqu'il servit en justaucorps à la table de l'empereur. Dieu ! si leur bonne mère avait pu voir ses enfants entourés de tous ces honneurs, elle en eût été réconfortée pour le restant de ses jours. Ah ! Dieu, comme on a exhorté à se hâter ceux qui vont porter la nouvelle !

Les fils des barons impériaux, aussitôt que l'on eut enlevé les nappes, ont apporté les serviettes et les bassines d'eau claire. Dès que l'empereur que l'on avait si bien servi, l'impératrice et l'archevêque se furent les premiers lavé les mains, commença aussitôt la grande fête pour toute la nuit. On passa le reste du jour à jouter et à se divertir.

Avant le lendemain, on distribua tant de vêtements, tant de riches équipements qu'aucun de ceux qui étaient venus dans l'espoir d'un gain ne repartit les mains vides. Les barons, désireux de s'acquérir les bonnes grâces de l'empereur, donnèrent, par amour pour lui, tant de capes, de pourpoints, de tuniques et de manteaux que, si l'on avait en quantité égale des frocs de bure blanche, on pourrait en vêtir pendant trois ans les moines d'Igny et d'Ourscamps. On en donna donc à profusion.

Je ne vous ai pas raconté quelle fut la félicité du roi cette nuit-là. Tout le bonheur qu'un homme peut connaître à étreindre son amie dans un beau lit, pendant toute la nuit, eh bien ! on peut être sûr que l'empereur le connut. Même si l'on prenait le moment où Tristan, au plus fort de son amour pour Iseut, put sans la moindre entrave jouir de ses étreintes, de ses baisers et du reste qui en est la suite naturelle, même si l'on renouvelait l'expérience avec Lanval et vingt autres amants de leur qualité, on ne pourrait établir qu'une comparaison fort lointaine entre leur bonheur et celui de l'empereur. On s'en rendit compte à son lever puisqu'il n'éconduisit personne de tous ceux qui sollicitèrent un riche présent. Avant le départ du grand prince (1) et la dispersion de la cour plénière, il leur dispensa à profusion, sachez-le, ses magnifiques joyaux en fonction de leurs dignités et de leurs services.

Tous lui demandèrent d'un commun accord la grâce du sénéchal.

"Même si l'on me donnait autant d'or qu'il y a de laiton à Huy-sur-Meuse, où l'on fabrique les chaudrons, et quoi qu'il m'en coûtât à cause de vos prières, il ne pourrait se faire que justice ne fût pas rendue".

Consternés, le duc de Savoie et les autres se sont tous jetés à ses pieds sur le dallage d'albâtre.

"C'est peine perdue. Relevez-vous, car il n'a plus rien en ce monde, ce traître qui m'a menti et qui a voulu déshonorer cette noble femme. Il a failli, par envie, trahir la dame la plus vertueuse du royaume. Il a bien raison de haïr sa propre vie, car ce crime le fera mourir dans l'infamie.

– Mais puisqu'il s'agit de notre suzeraine, seriez-vous fâché, cher seigneur, que nous la suppliions ?

– Pas du tout : elle est libre d'agir comme elle l'entend".

Il se repentit de les avoir rabroués dès les premiers mots, car ils l'avaient très bien servi sans regarder à la dépense. C'est leur profonde sagesse qui les incita à aller sur-le-champ supplier Liénor. L'un d'eux a aussitôt parlé au nom de tous : si l'on met à mort ou l'on mutile le sénéchal, elle n'y gagnera rien, alors que, si elle exauce leur prière, leur amitié lui sera pour toujours acquise. La reine était vêtue, parée et coiffée avec beaucoup d'élégance, et l'empereur ne l'avait pas, Dieu merci, affaiblie au cours de cette nuit-là au point de la rendre incapable de répondre à leur prière sans faire preuve de bassesse ni rejeter une seule de

---

(1)   Pour certains, *Il haus bers* serait un collectif.

leurs paroles. Ils glissèrent au cours de leur requête qu'elle pouvait être sûre que l'empereur lui permettait d'agir à son gré.

"Aujourd'hui, je pourrai être implacable envers lui, s'il est vrai, comme vous me l'avez dit, que l'empereur s'en soit remis à moi. Mais je ne veux pas, je ne dois pas, en me réservant la décision (1), susciter dès maintenant en Allemagne le mécontentement de Dieu et du peuple : ce serait indigne de nous. Conseillez-moi donc, vous tous, sur le châtiment que l'on peut lui infliger sans aller jusqu'à la mort et à la peine capitale. Afin que personne ne soit tenté de l'imiter, je ne veux pas qu'il s'en tire sans une longue pénitence.

— Ordonnez-lui de quitter l'Allemagne et la France et d'aller outre-mer.

— Je ne dois pas lui manifester beaucoup d'affection, car il n'a jamais cherché à le mériter. Qu'il s'en aille donc servir chez les Templiers, si mon seigneur y consent.

— Oui, madame, je vous garantis son accord.

— Eh bien ! telle est ma volonté, pour l'amour de Dieu et de vous-mêmes.

— Madame, au nom de Dieu et de nous-mêmes, soyez-en vivement remerciée. Oui, vous venez de nous libérer et de nous délivrer d'une grande angoisse".

Les barons vont rapporter à l'empereur les propos de Liénor.

"Par le Saint-Esprit, dit-il, je ne m'opposerai pas à la décision. Elle a été très indulgente pour l'outrage du sénéchal. Ce n'est pas rendre le mal pour le mal que de lui permettre de s'en tirer à si bon compte.

— Sire, c'est la destinée. Pour l'amour de Dieu, oubliez cette affaire qu'il ne faut plus jamais rappeler : le sénéchal n'en a-t-il pas retiré beaucoup de honte et de tourment ?

— Ma foi, que Dieu lui accorde une heureuse journée, puisque c'est lui qui nous a conduits là où nous en sommes ! Dépêchez-vous donc, dit le roi, d'aller le délivrer de ses fers. Mais que notre homme prenne bien soin de revenir à ma cour en habit

---

(1) P. Le Gentil, *op. cit.*, pp. 388-389.

de croisé : il ne retrouvera notre affection qu'à l'heure où l'on lâche les chiens (1)".

Le sénéchal était, de pied en cap, revêtu du costume des croisés quand on l'amena, en pleurs, devant l'impératrice afin qu'il lui exprimât toute sa gratitude et toute sa reconnaissance pour la grâce qu'elle lui avait accordée. Je puis préciser que ce spectacle attrista certains qui n'envisageaient pas de partir eux-mêmes pour la croisade.

Ensuite, les barons manifestèrent le désir de prendre congé de l'impératrice qui, en quelques mots très brefs mais fort bien venus, le leur accorda avec une exquise gentillesse, comme l'empereur le fit de son côté. C'est ainsi que la cour se sépara et que les barons retournèrent dans leur pays où chacun avait fort à faire. Ce monde est bien mauvais puisque toute joie y finit en tristesse. Ils n'auraient jamais demandé à partir s'ils n'avaient écouté que leur cœur ; mais le devoir l'exigeait. L'empereur et une vingtaine de barons restèrent aux côtés de l'impératrice dont le frère, le bon Guillaume, était très aimé et très puissant. Conrad accueillit leur mère avec des transports de joie, quand elle vint à la cour et lui assura une situation très honorable dans la ville de Mayence.

L'archevêque, pour honorer nos personnages, fit écrire leur histoire. Rois et comtes devraient se souvenir de ce valeureux gentilhomme (2), qui est le héros de cette aventure, afin de désirer faire le bien autant que le fit au cours de sa vie Guillaume que l'on chante et que l'on chantera tant que durera le monde qui n'est pas près de finir.

Maintenant c'est au repos qu'aspire celui-là qui perdit son nom le jour où il enTRA EN Religion (3).

Fin du Roman de la Rose.

---

(1) Selon R. Lejeune (*op. cit.*, p. 173), "56.16. Servois pensait que *chieus* était altéré : en réalité, il s'agit du *ciu*, de l'aveugle. "C'est quand l'aveugle courra que le sénéchal sera toléré", c'est-à-dire jamais. *Chieus* est une forme picarde."

(2) Pour R. Lejeune, il s'agit de l'empereur Conrad.

(3) On lit en anagramme le nom de l'auteur, Renart.

DOSSIER

rassemblé par Jean Dufournet

GUILLAUME DE DOLE
OU LA GLORIFICATION DES MENESTRELS

> «Quoi qu'il en soit, il existe cependant, du moins
> au nord de la France, une catégorie de poètes-chanteurs
> qui semble avoir eu une certaine conscience de classe,
> ce sont *les ménestrels*, dont la fonction, souvent
> hybride, recouvre à la fois celle d'un officier de cour
> et celle d'un poète attitré et permanent».
>
> P. Bec, *la Lyrique française au moyen âge
> (12ᵉ-13ᵉ siècles)*, t. I, p. 29.

Œuvre curieuse, surprenante, *Guillaume de Dole* n'a
cessé d'intriguer: l'on s'interroge pour savoir quel est le
héros du roman, et les avis sont partagés, les uns optant
pour l'empereur Conrad, les autres pour Guillaume, mais
l'on pourrait tout aussi bien avancer le nom de Liénor qui
occupe le devant de la scène durant les deux mille derniers
vers.[1] De même, on s'étonne des longs préliminaires consa-
crés aux occupations et divertissements de la cour de Conrad, on remarque l'absence d'exploits guerriers et de chevauchées aventureuses. De là, le jugement sévère de Gaston
Paris:

> «Cette fable de la gageure se prêtait mal à fournir l'intrigue
> de tout un roman; l'auteur de *Guillaume de Dole* est arrivé à
> en tirer les six mille vers de rigueur en y intercalant un long et
> inutile épisode (le tournoi) et en délayant son récit par des
> entretiens qui forment souvent hors-d'œuvre».[2]

Plutôt que de condamner hâtivement, ne faut-il pas se demander si ce roman original n'a pas été écrit à une autre fin, pour défendre et glorifier les ménestrels[3] qui ne sont pas de vulgaires jongleurs[4], mais avec une telle habileté que le dessein de l'auteur n'éclate pas au grand jour et que sa démonstration est plus insinuée qu'assenée ? Ne s'appelle-t-il pas d'ailleurs Jean Renart, n'est-il pas le rusé romancier qui dissimule son véritable dessein aussi bien qu'il masque son nom[5] ?

I

Ce qui surprend à première lecture dans ce roman qui se dit *d'armes et d'amors* (v. 24), *de chevalerie et d'amors* (v. 1256), c'est le nombre considérable de ménestrels, de vielleurs et de chanteurs qui ne sont jamais acrobates, escamoteurs ou bonimenteurs, mais conteurs, chanteurs, musiciens, ou danseurs, - sans oublier les jongleresses comme la sœur de celui qui chante une laisse de *Gerbert de Metz* (vers 1332 et s.)[6] - venus de tous les pays:

> l'en i chantë et sons et lais,
> li menesterel de mainte terre
> qui erent venu por aquerre (4563-4565),

de Troyes (4566) et de Châlons-sur-Marne (4584), de Thouars (5422-5423)[7] et de l'Empire (2396). Les uns demeurent anonymes, comme ceux des vers 1745-1749:

> Lors vindrent li menesterel.
> Li uns note° un, li autres el°°, °joue- °°autre chose
> cil conte ci de Perceval,
> cil raconte de Rainceval,
> par les rens devant les barons...

les autres sont désignés nommément dans une sorte de palmarès, bien qu'ils restent pour nous des inconnus[8]; Jourdain le vieux bourdon (2403, 2405), Cupelin (3401), Hugues de Braie-Selve (Brasseuse) vers Ognon (3408-3409), une femme, Doete de Troyes, qui chante au milieu d'autres ménestrels (4566), en compagnie d'un chanteur de Châlons qui *ot vestu uns biaus dras vers* (4585), Aigret de Grame qui exécute une chanson en duo avec Jouglet (2513).

L'on se rend compte que Jean Renart ne se borne pas à de simples mentions, puisqu'il caractérise avec humour Cupelin:

> Un petitet, un mervelleus,
> en avoient si chamberlenc,
> et s'ert plus tendres d'un herenc (3398-3400)

L'empereur apprécie fort son talent, l'écoutant chaque matin (3402), bien que ce ne soit qu'un *garçon* (3407). De même, Conrad sollicite Hugues de lui apprendre une danse raffinée (3400-3414) et de lui chanter le couplet sur la belle Marguerite qui sait si bien exécuter *la chançonete novele* (3417). Quant à Jourdain, il apparaît dans une chanson et fait l'objet des commentaires plutôt que son héros Renaut de Mousson (2396-2405).

L'un d'eux, Jouglet, occupe une place toute particulière par le nombre des mentions qui le concernent comme par son rôle dans le roman. Ses qualités - il *ert sages et de grant pris* (640) - sa lucidité[9], sa compétence en tous domaines (1534-1535) qui fait de lui un arbitre des élégances et un double de l'auteur[10], la richesse de son répertoire qui comporte *mainte chançon et maint biau cote* (642), *chançons et fabliaux* (1765), son habileté à chanter en duo (2512-2513) ou à accompagner de sa vielle d'autre chanteurs (2231-2232, 1843-1845), son talent que l'on prise (1558-1569), lui ont valu d'être le familier et l'intime de l'empereur et de Guillaume. Le premier, dont il obtient de beaux cadeaux (723-724), recherche sa compagnie autant que celle de son sénéchal: ils chantent de conserve une chanson de Gace Brulé (844-845), ils plaisantent sans contrainte, comme le montre cette agréable saynète (817-834):

> «Ah ! mon Dieu, dit l'empereur, comme elle est née sous d'heureux auspices, et encore plus celui qu'elle aimera !

Pour le moment, il s'agit de savoir qui, dès le matin, ira chercher son frère que je m'engage à servir de mon cœur et de mon bras.»
Alors Jouglet, qui était sage et avisé, lui dit en riant:
«A vrai dire, il se contentera du bras, car il n'en demande pas tant; et c'est Liénor aux cheveux blonds qui aura le cœur, si vous m'en croyez.»
Avec un rire, l'empereur rétorqua:
«Canaille, tu as l'esprit bien mal tourné. Alors tu t'imagines que je m'intéresse moins au frère qu'à la sœur ?...[11]

ils sont souvent seuls, ou accompagnés de rares privilégiés (1328-1329; 2023-2026; 4118-4121). Jouglet est présent au moment où l'empereur fait rédiger son message à Guillaume (869-879) qu'il accueille à son arrivée (1391-1397). Quand Conrad s'ennuie, il fait appel à Jouglet pour rompre la monotonie du voyage et il lui manifeste sa sympathie:

> ...ce sachiez qu'il li anuia.   636
> Un sien vïelor qu'il a,
> q'on apele a la cort Juglet,
> fist apeler par un vallet.
> Il ert sages et de grant pris   640
> et s'avoit oï et apris
> mainte chançon et maint biau conte.
> Li vallez ert filz a un conte,
> si l'apela tant que cil vient.   644
> Fet l'empereres: «Se te vient
> d'orgoeil ou de melancolie
> que tu hez tant ma compegnie ?
> Dehez ait sanz moi qui t'aprist !»   648
> En riant par le frain le prist,
> s'issent fors del chemin amdui.
> Fet li empereres: «J'ai hui,
> certes, eü mout grant someil.   652
> Aucun conte dont ge m'esveil
> me conte, fet il, biaus amis.»
> En riant li a lores mis
> le braz senestre sor l'espaulle.[12]   656

Le ménestrel est ainsi amené à jouer un rôle décisif, plus

important que celui des conseillers de l'empereur[13], puisqu'en lui racontant l'histoire de la dame de France, il suscite son amour pour Liénor, un amour de loin, l'amour pour un nom, et puisqu'il annonce à l'empereur et à Guillaume le tournoi de Saint-Trond (1643-1648), où le chevalier s'illustrera, augmentant ainsi l'amitié de Conrad. Relations tout aussi amicales et anciennes avec Guillaume qui l'accueille avec exubérance; les deux personnages sont quasiment sur un pied d'égalité:

Et Jouglez, qui estoit alez	1472
querre le gentil chevalier,	
ainçois qu'il entrast el solier,°	° étage
quant il ot montez les degrez	
del solier, si s'est escriez:	1476
«Dole ! chevalier ! A Guillaume !	
Ou est li deduiz dou roiaume,	
li solaz et la grant proëce ?»	
Il saut sus: «Ha, Juglet ! q'est ce ?	1480
Dont venez vos, biaus doz amis ?»	
Ses braz li a lors au col mis	
et si en fet joie trop grant.	
. . . .	
Ses biaus braz, qui ne sont pas cort,	1500
li a lués mis de joie au col:	
«Beaus amis, fet il, que j'acol,	
buer vos levastes onc cel jor !...	

Guillaume fait monter derrière lui (1556-1559) Jouglet qui, de son côté, sert ses intérêts; il lui donne sa robe d'hermine (1829-1830) et lui réserve le premier cheval capturé lors du tournoi (2693) - manière de lui rendre hommage et de lui accorder une sorte de primauté, voire de subordonner les prouesses du chevalier aux talents du ménestrel - tandis que celui-ci juge en connaisseur les exploits du héros (2666-2667).

Comme le roman laisse entendre que les relations de Jouglet avec Conrad et Guillaume ne datent pas d'aujourd'hui, on peut soutenir que le ménestrel a formé le goût de ses amis, mais Jean Renart est assez fin pour ne pas le dire ouvertement: tout au plus suggère-t-il qu'ils sont inséparables.

On le pressent: J. Renart évoque les jongleurs dans toutes les circonstances, auprès de l'empereur (503-504, 3396-3397) comme de Guillaume (2182-2183), défilant parmi les compagnons de celui-ci (2461-2463) pour se rendre au tournoi, l'escortant jusqu'au lieu du combat (2640-2651), l'encourageant (2666-2667).

Bien plus, le romancier abandonne quelques instants le sénéchal en train de machiner sa traîtrise pour revenir à l'empereur dans une parenthèse bien délimitée par le retour de formules identiques:

> Or feroit bon savoir meshui
> conment li bons rois se contint.
> Que que ciz lerre ala et vint,... (3390-3392)
> Einsi se contient li bons sires,
> tant que li seneschaus revint... (3434-3435).

mais c'est surtout pour parler de deux ménestrels qui interprètent deux chansons. N'est-ce pas pour opposer le méchant sénéchal au bon empereur qui vit dans la compagnie constante des ménestrels et pour suggérer que ceux-ci appartiennent au monde du bien, de la beauté, de la joie ?

D'autre part, ménestrels et nobles seigneurs alternent pour exécuter les chansons: ainsi Jouglet et Aigret de Grame, puis *dui damoisel cui mout bien sist,/ neveu au segnor de Dinant* (2520-2521); ou encore *li biax Galerans de Lamborc* (2366), *le fils le conte de Tré* (2376) et *un vallez le conte de Los* (2386) auxquels succède un *menestrel de l'Empere* (2396). L'empereur lui-même chante à plusieurs reprises[14]; c'est lui qui chante le plus grand nombre de chansons, plus de dix[15]. Au dire de Jean Renart, il en compose même une:

> Que qu'il sont amdui acosté
> as fenestres vers un vergier
> ou il oient aprés mengier   3176
> des oisillons les chans divers,
> l'emperere en fist lués cez vers...

Illustre caution pour une activité qui demeurait suspecte, comme l'est aussi la mention d'auteurs aussi prestigieux que Renaut de Beaujeu, *de Rencien le bon chevalier* (1452), *monsegnor Gascon* Brulé (845, 3620), *monsegnor Renaut de Sabloel* (3878-3879) ou le vidame de Chartres (4123-4124). Les ménestrels, dans le cortège de Guillaume, prennent le pas sur les princes et les comtes:

> O flaütes et o vïeles,
> por veoir les joustes noveles   2296
> (que des sanes n'est or pas contes),
> ovoec princes et ovoec contes,
> de maintes diverses manieres,
> si mist devant lui ses banieres,   2300
> o bien .LX. compaignons
> de grant pris et de granz renons...

Quand ils remplacent l'*escueraille menue, l'anuis ist dou palais* (1743).

L'auteur tend à rapprocher les goûts et les activités des princes et des ménestrels. Parmi les traits qui reviennent dans le portrait de ces derniers, on remarque l'amour du sommeil, et Jouglet *ot la matinee dormi a Tref come borjois* (2174-2175); or les

> bon chevalier errant
> qui s'estoient debrisié d'armes
> se dorment de desoz ces charmes (190-192)

assez tard dans la matinée jusque vers tierce (259), sans que l'empereur y trouve rien à redire, puisqu'il s'écriera plus tard:

> «Mors soit ne dormira demain,
> fet li rois, bone matinee !»
> Ceste parole mout agree
> a ciaus qui erent las d'errer (1795-1798).

Ce dernier vers a sans doute une signification plus générale, et traduit le refus de certaines valeurs. Les uns et les autres ne dédaignent ni les vins de qualité ni les bons mets, à l'exemple de l'empereur:

> Fet li rois: «Ausi irai gié,
> quant nos avromes pris congié,
> qu'il fet bon boivre aprés chançons.»
> Lors hucha l'en les eschançons. (1780-1783),

de Jouglet qui proclame:

> Je muir de faim, ne menjai hui.
> Caienz, qui me donra a boire ? (2212-2213),

et du bourgeois qui s'écrie, lorsque Guillaume donne à sa femme un *trop bon fermail a cote*;

> Dit li hostes: «Car fust il miens,
> aussi boi je trop tote jor» (1839-1840).

Surtout, du haut au bas de l'échelle sociale, tous ont en commun d'inventer des histoires: si Jouglet lance le roman par l'histoire du chevalier de Champagne et de la dame de France, histoire dont il certifie l'authenticité (657, 721-722), l'empereur joue la comédie tant pour éloigner les fâcheux (173-189) que pour inciter les grands à lui permettre d'épouser Liénor, ce dernier motif revenant à trois reprises: 3082-3095, 5121-5156, 5286-5304. Le sénéchal, quand il se rend à Dole, feint de partir *por fere/ en son païs une besogne* (3222-3223), il se présente à la mère de Guillaume comme le compagnon d'armes de celui-ci (3324-3325) et comme l'ami dévoué de celle-là (3342-3345), il simule l'ignorance auprès de l'empereur (3516-3517) tout comme il prétend avoir défloré Liénor (3584-3588). Laquelle se fait passer pour la châtelaine de Dijon qui se rendrait aux raisons du sénéchal et lui enverrait divers cadeaux pour lui manifester son amour (4289-4324); son serviteur joue son rôle à merveille (4421-4422) et se met à bâiller comme un fou pour dissimuler son envie de rire (4429-4430); plus tard, Liénor inventera l'histoire de son viol et du vol de ses bijoux. Ces tromperies, plus ou moins innocentes, n'ont pas toutes la même fin; aussi sont-elles tantôt louables, tantôt condamnables. Il reste que les jongleurs sont ainsi justifiés, eux que l'on accuse le plus souvent de mentir et d'inventer, et que l'univers dans lequel on évolue maintenant n'est plus tout à fait en noir et blanc: même le sénéchal félon et envieux, conforme en cela au vieux topos, est regretté par sa *mesnie* (4925-4939) et par l'empereur (5025-5027).

De surcroît, *Guillaume de Dole,* par les allusions nombreuses et variées qu'il renferme comme par les chansons qu'il cite, constitue le répertoire fort riche d'un ménestrel particulièrement doué, capable de toucher à tous les genres, comme l'atteste l'inventaire suivant:

1. *Chansons de geste* de divers cycles: cycle du roi avec le souvenir de Roland (2755), de Charlemagne (1756), de Roncevaux (1748), de *Berte as granz piez* et d'Aude la Belle, sœur d'Olivier (4509-510); cycle de Guillaume avec Vivien aux Aliscans (2304); cycle des Lorrains: le frère d'une jongleresse chante une laisse de *Gerbert de Metz* (1332 et s.) où apparaissent des personnages comme Fouques, Fromont, Gerbert, Guirret et Doon le Veneur. Cette laisse détonne dans un ensemble si peu épique, mais n'est-ce pas un moyen pour suggérer l'ampleur de ce répertoire ?

2. *Romans antiques*: le *Roman de Troie* est évoqué à la fois par deux allusions - au siège (40) et à Pâris (1605) - et par les broderies exécutées par une dame de Pouille sur l'étoffe dont on a fait la robe de Liénor (5332-5351). Le portrait de Guillaume, aux vers 1425-1430, est emprunté au *Roman de Troie* (vers 5497 et suivants) où le roi Memnon est lui aussi un chevalier *mout avenanz*

> o un dur piz, o un forz braz,
> o un chief cresp et aubornaz,
> o un blanc vis lonc et traitiz,
> o un gros ieuz et très hardiz...

Moins bien représenté, le *Roman d'Alexandre* n'apparaît que par une mention du fameux conquérant, associé à Perceval (2880), et par le rappel du saut qu'il fit à Tyr (5320)[16].

3. *Lais et romans*: Jean Renart évoque aussi bien Marc (170), Tristan et Iseut (5507) que Lanval (5511) et Graelent Muer (2546), et que Keu (3160, 3164), Artur (4619, 4681) et Perceval (1747, 2880). Le comte de Sagremor (365) a sans doute emprunté son nom au héros arthurien.

4. *Le Roman de Renart* est présent par son protagoniste (5421) et par dan Constant à qui le goupil essaya d'enlever le coq Chantecler (444)[17].

5. Jouglet interprète aussi des *fabliaux* (1765), sans que l'auteur en cite aucun, sans doute dans un souci de dignité.

6. Les *poésies lyriques*, comme l'a constaté F. Lecoy, se répartissent en deux grandes catégories: chansons courtoises (treize françaises, trois provençales) et chansons traditionelles, popularisantes, telles que chansons de toile, pastourelles, chanson d'éloge et rondets de carole. J. Renart cite nommément plusieurs seigneurs qui s'illustrèrent comme poètes: Renaut de Beaujeu (1451-1452), Gace Brulé (845, 3620), Robert de Sabloeil appelé par erreur Renaut (3879), le vidame de Chartres, Guillaume de Ferrières (4123-4124).

Il faudrait, pour être complet, citer des allusions plus subtiles au *boivre* de Tristan (3446), au couple formé par l'oncle Guillaume et son neveu, lequel est un personnage de fabliau.

Ajoutons, pour finir, que le texte du roman naît, pour une bonne part, des poèmes lyriques qu'il cite: que l'on se reporte à la promenade aux sources, à la vie au manoir de Guillaume et à la fête de mai.

Si des chevaliers n'ont pas dédaigné de composer des chansons, si les grands rivalisent avec les ménestrels dans leur spécialité, si Jouglet vit dans l'intimité de l'empereur et de Guillaume, si l'archevêque de Mayence a fait écrire l'histoire que raconte Jean Renart (5643-5644), qui finit ses jours dans un couvent (5653-5655), si ces jongleurs n'ont rien de grossier ni de vulgaire - au contraire du Jouglet du fabliau et du Charlot de Rutebeuf - n'est-ce pas une manière de revaloriser des personnages et une activité qui n'avaient pas encore conquis droit de cité et que l'Eglise traitait en suspects[18] ? N'est-ce pas suggérer qu'un prince, pour être grand, a besoin, à ses côtés, d'excellents ménestrels qui joueront le rôle d'initiateurs, de conseillers, de compagnons, de messsagers ? Toutefois, soucieux de ne pas choquer mais plutôt d'insinuer ses idées, Jean Renart a eu l'habileté de ne pas faire d'un ménestrel, fût-ce Jouglet, le protagoniste de l'œuvre, en sorte que l'empereur, Guillaume et Liénor conservent la plus belle part et que le romancier a introduit une histoire d'amour contrariée par l'action de l'envieux sénéchal.

Ce qui permet aussi de penser que la structure du roman est plutôt bipartite, fondée sur l'opposition entre le temps des ménestrels et celui du sénéchal: quand les premiers triomphent, règne la joie:

> Cele nuit devant que ç'avint   3436
> que cil lerres fu reperiez,
> onques n'avoit esté plus liez
> li bons rois ne plus enchantez.
> Puis que cil Guillaumes fu nez,   3440
> n'ot si bon siecle a nul sejor.
> A grant joie atendoit le jor
> et l'assemblee de Maience...

mais quand le second prend le dessus, douleur et détresse étreignent les héros:

> si s'en vet chans travers toz seuls,
> mout dolenz et mout angoisseus... (3617-3618)

> L'empereres, mout angoisseus,
> s'en revint el palés toz seuls... (3737-3738)

> Si compegnon sont tuit venu
> entor lui et sa granz mesnie
> qui mout estoit desconseillie,
> que chascuns ne set quë il face.
> Il descire sa bele face
> et se claime: «Dolerous ! las... (3770-3775)

Arrivé à ce stade de la démonstration, on ne peut s'empêcher de se poser une question. En effet, Jouglet est le nom d'un ménestrel qui apparaît dans un fabliau fort grossier, composé par Colin Malet. O. Jodogne, dans son précieux *Répertoire des fabliaux* (Louvain, 1966), en a donné un bon résumé:

«Une vieille riche, en Carembaut (pays de Flandre française), avait un fils plutôt sot:

s'il fust sages, assez fust genz,
més il croissoit devant son sens.

Sa mère s'avisa de marier Robinet à Meheut, la fille d'un vavasseur endetté qui par cette alliance, se vit renflouer par la vieille. Au jour prévu pour les noces, la vieille confia son fils à un ménestrel Jouglet afin qu'il déniaise son garçon. Jouglet est un drôle qui ordonna à Robinet de manger assez de poires pour en remplir son gant avec les queues. C'est comme cela qu'un homme se prépare au mariage; surtout qu'il ne se vide pas avant les noces !

Se rendant à l'église, les promis sont précédés par Jouglet qui vielle en leur honneur. Le jeune marié n'a guère d'appétit au moment du festin, et Jouglet le surveille.

La nuit, son ventre est près d'éclater. Sa jeune femme, d'abord troublée, réussit à confesser son mari et l'envoie se mettre à l'aise. Robinet s'arrête à un lit voisin et se soulage sur Jouglet qui ne se réveille pas. Ainsi se vérifie le proverbe:

Qui merde brasse, merde boive.

Robinet souille aussi les vêtements et la vielle de Jouglet, au point que, le lendemain, le farceur se trouve bien farcé et risque d'être bien maltraité par le public quand on lui demande un air de vielle» (t. I, pp. 21-22).

C'est l'illustration d'un proverbe connu, comme le rappelle la fin du texte:

Segnors, ce dist Colins Malés:
teus cuide cunchier autrui,
qui tout avant cunchie lui.
Explicit de *Jouglet*.

Certains traits ne sont pas sans analogie avec notre roman: la jeune fille appartient à la famille d'un vavasseur, c'est-à-dire d'un membre de la petite noblesse (comme Liénor); son mariage est décidé avec Robinet, comme celui de Liénor avec l'empereur Conrad; la mère du futur époux confie celui-ci à un ménestrel du nom de Jouglet pour qu'il l'éduque, un peu comme Jouglet le ménestrel est le mentor ou à tout le moins le familier de Conrad.

Aussi est-on en droit de se demander si Jean Renart n'aurait pas repris ce personnage pour laver les ménestrels de toutes ces grossières affabulations et les présenter sous un jour différent, qui est flatteur.

Mais, faute d'une chronologie précise pour le fabliau, on peut soutenir la thèse contraire: Colin Malet se serait diverti à reprendre certains éléments du *Guillaume de Dole* et à travestir Jouglet, l'un de ses héros.

II

Cette volonté secrète entraîne d'autres conséquences, car c'est en fait une nouvelle morale que propose le roman, une morale de ménestrel, pourrait-on dire, fondée sur d'autres valeurs que celles des générations précédentes[19]. Pour l'exposer, Jean Renart s'est servi de la forme romanesque où il présente l'idéal et la morale de l'entourage princier, plus ou moins ouvertement influencé par les ménestrels.

La religion est rejetée au second plan[20], bien que Dieu soit fréquemment invoqué par une sorte de tic littéraire[21]. Le vocabulaire religieux est détourné de son sens premier et fournit des comparaisons humoristiques: l'on porte les boucliers du héros comme *se ce fust cors sains ou tresors* (2488); Guillaume et ses gens s'en vont *dui et dui, conme moine a procession* (2511), et deux chansons pour danser deviennent un *Te Deum laudamus* (5116). En revanche, le vocabulaire de la courtoisie se substitue au vocabulaire religieux:

> - Cil dont li clerc chantent es livres,
> fet la gentils, la debonaire,
> set bien tels cortoisies fere
> et aidier ciaus qui a bien tendent (5034-5037).

Parmi les pièces insérées, aucun poème religieux. A plusieurs reprises, le romancier précise que ses personnages ont des préoccupations qui n'ont rien de dévot:

> Il ne pensent pas a lor ames,
> si n'i ont cloches ne moustiers
> (qu'il n'en est mie granz mestiers)
> ne chapelains, fors les oiseaus. (224-227)

> Ha ! se il osast por honor,°   °de façon décente
> com il parlast ja volentiers !
> Ce ne fust mie de moustiers
> couvrir ne de chaucies faire,
> mes de la preus, la debonaire,
> de cui avoit le feu ou cors (1636-1641).

> …por veoir les joustes noveles
> (que des sanes n'est or pas contes)… (2296-2297)

Que font ou que désirent les ecclésiastiques que mentionne Jean Renart ? Si le chapelain d'une *abbesse* chante la messe du Saint Esprit (2442), un autre chapelain tient «en sa main une coupe, telle une pierre précieuse enchâssée dans une monture d'or» (1785-1786), tandis qu'un *provoire* joue aux échecs avec les chevaliers de Guillaume (3303), ce qui fait dire à G.T. Diller[22]: «Des chevaliers et des échecs d'une part, un prêtre et son domicile de l'autre, cet assemblage hétérogène illustre encore une fois l'intarissable invention plaisante chez Renart qui crée à partir du motif rebattu (les jeux de loisir des chevaliers) une dissonance provocatrice.» L'évêque de Chartres préférerait participer aux fêtes de la cour plutôt qu'à un synode,

> que chascuns i garist et sane
> ses oils d'esgarder les mervelles (359-360).[23]

L'évêque de Liège n'est cité nommément qu'une fois; encore est-ce par le truchement de son neveu, qui chante la ballade amoureuse de Gui et d'Aigline (vers 5185-5186); ailleurs, il apparaît uniquement comme seigneur séculier, ainsi que nous l'a révélé Madame Rita Lejeune dans un important article[24]:

- seigneur de Dinant (2520), ses deux neveux se produisent au tour de chant de Saint-Trond;

- comte de Tref-sur-Meuse, c'est-à-dire de Maëstricht, il est évoqué lors de cette joyeuse veille (2376, 2388): il est alors affublé d'un fils[25];
- seigneur de Huy, il a à son service un chanteur venu de la région poitevine (5423);
- enfin, seigneur de Nivelle (4677), qui est Nivelle-sur-Meuse entre Liège et Maëstricht, il vient en personne annoncer à Conrad l'arrivée de Liénor à l'assemblée de Mayence.

Ces rôles divers de l'évêque de Liège n'ont-ils pas une double fonction ? D'une part, rappeler un comportement habituel d'Hugues de Pierrepont qui, comme l'a rappelé Mme R. Lejeune dans l'article que nous venons de citer, se rendit aux séances du concile de Latran en 1215 vêtu d'abord en comte, puis en duc, enfin en évêque; d'autre part, justifier les métamorphoses des jongleurs et des ménestrels.

Quant au puissant évêque de Spire, il n'est que *li sires d'Espires, uns granz bars*, qu'émeut l'affliction de Liénor (4640-4641). L'archevêque de Cologne (4854-4859) intervient en faveur de la belle quand elle réclame justice auprès de l'empereur. L'archevêque de Mayence, lui, «tient une grande place dans l'épisode final du roman, où se conjuguent avec bonheur les scènes diverses d'une fête de mai, d'une Diète en quête d'objet, d'un empereur écrasé par un chagrin d'amour, d'un procès mené par une femme et enfin, d'un mariage impérial. Cet archevêque insiste pour que le mariage de l'empereur Conrad et de la belle Liénor soit célébré sans retard (5296); il chante, avec dix évêques, la messe de mariage (5304-5305); il est assis auprès de l'empereur et de l'impératrice au festin nuptial (5484). Enfin, selon l'auteur, c'est lui qui a donné l'ordre de narrer l'histoire de l'empereur imaginaire Conrad et de Liénor sa belle inconnue (5642-5643)»[26].

L'idéal chevaleresque n'est pas mieux traité. La guerre disparaît du roman: ou bien elle appartient au passé et concerne les rois de France et d'Angleterre (1626-1629), ou bien Conrad met fin au conflit qui opposait le comte de Gueldre au duc de Bavière en les réconciliant (621-630) [27], et Jean Renart de lui décerner le nom de *prodome* qu'il lie à la recherche de la paix:

> Mout fet bien prodom qui se paine
> de pes querre en mainte maniere (629-630).

Quelques allusions vagues et limitées à l'aspect guerrier tant de l'empereur (58-59) que de Guillaume, *cil qui maint estor ot veincu* (1094) ou que d'autres personnages, comme le comte de Bar, *conte non per/ de proëce et de hardement* (2126-2127). Si, dans le portrait initial de l'empereur, il était quasiment obligatoire de parler de ses qualités guerrières (par ex., 68-73), il est remarquable que Jean Renart, qui passe sous silence le caractère militaire des châteaux forts, refuse les formes modernes de la guerre - arbalètes (60-67) et mangonneaux (104-114) - et que les vertus civiles l'emportent sur les autres: mesure, sagesse, courtoisie, modestie, justice, générosité, goût pour *le deduit d'oiseax et de bois* (54-55), le portrait se terminant par des vers caractéristiques:

> De biaux gieus et sanz vilonie
> se joe ovoec ses compaignons.
> Il porpense les ochesons
> conment chascuns fera amie.
> Or sachiez qu'il n'i faudra mie
> qu'il ne l'ait por riens qu'il puist faire.
> Li bons rois, li frans debonere,
> il savoit toz les tors d'amors (154-161).

Le seul à porter une épée est le grotesque neveu de Guillaume. Les longues chevauchées ennuient Conrad (635-636), qui dresse les tentes *quant il est sesons de deduire en prez et en bois* (140-141); et son mariage tardif lui permet de consacrer plus de temps aux plaisirs qu'aux tâches sérieuses[28], et

R. Lejeune n'a pas tort quand elle constate[29]:

> «Il faut remarquer, au surplus, qu'à l'encontre de *Galeran*,
> *l'Escoufle*, *Guillaume de Dole* et *le Lai de l'Ombre* n'ont
> guère envisagé le mariage avec respect. Les noces de Conrad
> et de Liénor sont un sujet de douce ironie pour Jean Renart:
>
> | | |
> |---|---:|
> | Je ne vos ai mie conté | 5501 |
> | Quel siecle li rois ot la nuit. | |
> | Se nus hom puet avoir deduit | |
> | A tenir d'amie embraciee | |
> | En biau lit, la nuit anuitiee, | |
> | Donc pot on bien savoir qu'il l'eut.» | |

Lorsque nous retrouvons le vocabulaire de la guerre, il
est appliqué aux combats amoureux:

Il savoit toz les tors d'amors (161)

. . . .

Qui onqes fu en tels estors
bien puet savoir quel siecle il orent ! (214-215)

. . . .

En un tref point toz eslessiez,
criant: «Ça, chevalier, as dames !» (222-223)

ou à la coiffure de Liénor:

Por l'usage, qui tex estoit,	4716	
ele prent dou mantel l'atache;		
que qu'el l'oste dou col et sache,		
si l'encombra si li mantiaus		
qu'ele hurte as premiers cretiaus	4720	
qu'ele avoit fet en sa touaille.		
Le hordeïs° et la ventaille		°défense
enporta jus o tot le heaume;		
voiant les barons dou roiaume,	4724	
si que sa crigne blonde et sore		
son biau samit inde li dore		
par espaulles et pres dou col.		

«Ainsi le beau «hennin» représenté par alternance comme
une œuvre de fortification et puis comme un heaume, se
défait sous le coup ou sous les assauts, de l'émotion»[30].
Quant à la croisade qui marque la rencontre entre l'idéal
chevaleresque et la foi, elle n'apparaît que dans un vers très

court d'une chanson du Châtelain de Couci (930) et à la fin du roman, comme châtiment du sénéchal.

De même, l'empereur préfère les joies de l'amour aux plaisirs de la chasse (186-189)[31], et l'on s'y moque des chasseurs présentés comme inaptes à l'amour (168), jaloux et envieux (174), un tantinet ridicules (427-436):

> Cil qui avoient boissoné
> s'en revindrent mout hericié,
> cil veneor mal atirié
> es ledes chapes de grisan
> qui ne furent noeves oan,
> et heuses viez, rouges et dures,
> et roncins durs sanz ambleüres,
> et sont en sanc jusq'as jarrez;
> et ont derrier euls lor brachez
> et les lïens desor les braz (427-436),

et vantards:

> Vos deïssiez que ce fust songes
> des merveilles qu'il lor contoient.
> Il se rit de ce qu'il mentoient,
> mais c'est coustume de tiex genz (457-460).

Tout au plus conserve-t-on le tournoi qui, s'il manifeste force, adresse et courage, témoin le duel de Guillaume et de Michel de Harnes, est surtout une fête où l'on rivalise d'élégance et de luxe, pour gagner le cœur des dames. Tel est le conseil que donne aux deux héros le boute-en-train Jouglet (1644-1647), c'est ce que recouvre l'expression *de chevalerie et d'amour* (1257)[32]. Vaincu, on n'y perd pas son renom (1658-1659). D'ailleurs Jean Renart ne se fait pas trop d'illusions:

> Sanz maugré, sanz male voellance
> se departirent por la nuit
> si com l'en fet de tel deduit:
> li un lié, li autre dolent (2832-2835).

Tout va dans le même sens: parmi les chansons insérées dans le roman, une seule laisse épique[33]; de l'aventure de Gui de Nanteuil, Jean Renart ne retient qu'une histoire d'amour[34];

l'empereur, plutôt que de parler de Charlemagne, préfère demander à Guillaume des nouvelles de sa famille et de lui-même (1754-1759); les armes cèdent le pas aux danses:

> Tuit li duc et tuit li demaine   2360
> qui sont as ostex ou marchié
> si ont et beü et ragié
> c'onques d'armes n'i ot paroles,
> ainz i sont si granz les karoles   2364
> c'on les oit de par tot le borc.

et l'on remarquera qu'il n'y a pas d'adoubement. Jean Renart, d'ailleurs, n'hésite pas à affirmer:

> Il feroit meshui bon entendre
> a la vïande dou disner
> et lessier venir et aler,   2140
> que ce ne finera huimés.
> Des armes a parler vos les,
> qu'il fet mellor a la vïande.

- ce qui fait dire à G.T. Diller que «Renart ne manque pas une occasion de saper le prestige des armes au cours du tournoi.»[35]

Ce refus de la guerre explique que Jean Renart fasse une place importante aux *vavasseurs* qui ne sont pas des combattants - sans toutefois les faire sortir de l'anonymat: bien que pauvres (1041, 1681), ils méritent d'être conviés aux fêtes de l'empereur (149), de recevoir les charges de baillis, car ils aiment Dieu et redoutent la honte, attachés à sauvegarder l'honneur et l'intérêt de leurs maîtres comme la prunelle de leurs yeux (589-592). Jean Renart oppose, conformément au topos de la littérature médiévale, les deux vavasseurs, deux *prodomes* (4058) qui accompagnent Liénor, au félon sénéchal qui a tenté de la déshonorer:

> «Chrétien de Troyes n'avait fait un peu longuement allusion à cette classe que pour y choisir Enide, l'épouse d'Erec, fils de roi; et c'était pour créer ainsi un déséquilibre social du couple qui servait les données de son action. Jean Renart, lui, tient viscéralement à un monde peu fortuné où la valeur personnelle, sur le plan chevaleresque et mondain, peut faire

merveille; pour cette classe, dont il affirme la loyauté à
l'égard du souverain, il revendique même, lors de vues géné-
rales bien peu fréquentes dans le genre romanesque, des
charges politiques.»[36]

Plus étonnante est la présence des bourgeois, à ne pas
confondre avec les vilains, dans la mesure où ils sont généreux et sensibles à la grandeur. Ce sont des bourgeois qui
accueillent Guillaume dans leur demeure, partageant
son repas (1516-1517) et ses divertissements (1805-1814), rece-
vant de lui de somptueux cadeaux (1825-1845). Leur fille,
élégante dans sa mise (1520-1521) et spirituelle dans ses propos (1560-1571), donne des couronnes de fleurs à ses hôtes
(1544-1545; 1572-1574), et sa mère fait en sorte qu'elle
puisse voir Guillaume (1552-1557). Cette attitude n'a rien
d'exceptionnel, puisque, lorsque le héros et ses compagnons
se rendent à la cour,

> Tuit cil de la rue et de l'estre
> le resgardent a grant mervelle... (1576-1577)
> . . . .
> Einsi s'en vont tote la rue.
> Bien de tant loig com uns hom rue
> se levoient les genz encontre:
> «Bone aventure et bon encontre
> vos doint hui Dex ! » font li borjois.
> «Ce ne sont pas genz a gabois»
> font il basset li uns a l'autre. (1585-1591)

C'est un bourgeois de la province de Liège qui s'occupe de
son armement (1952-1961) et qui exécute ses ordres avec un
dévouement exceptionnel (1962-1963), mettant tous ses
biens à la disposition de Guillaume, en sorte qu'il mérite
d'être appelé *li gentils borjois debonere*:

> Li gentils borjois debonere   2060
> ert dou Liege venuz ovoec.
> Voiant toz ciaus qui sont iloec,
> li dit que quanqu'il a est soen:
> mout vient a home de grant sen,   2064
> qui fet cortoisie au besoig.

Guillaume, lui, envoie le premier adversaire qu'il vainc au tournoi *a Sainteron/ chiez son oste tenir prison* (2691-2692). Les bourgeois manifestent une grande joie à la venue de l'empereur (1992-1993) qui les traite avec ménagement (593-594); c'est la meilleure des politiques car ils le lui rendent bien (597-610). Une bourgeoise, *qui plus ert sage que vilaine* (4220), offre une hospitalité raffinée à Liénor (4221-4234) qui la remercie comme il convient (4503-4508). *Tuit li riche borjois dou change* (4539) admirent la sœur comme ils ont admiré le frère, se rencontrant avec les gens de la haute noblesse:

> Tuit li riche borjois dou change
> se sont encontre li° levé; °Liénor
> mout ont tuit en lor cuer loé
> sa simplece et sa contenance.
> Font il: «Ou roiaume de France
> ne troveroit sa per.»
> L'en porroit les borses couper
> a ceuls qui vont emprès musant (4539-4546).

Madame R. Lejeune, dans un article très dense[37], a fait le point sur cette question avec beaucoup de bonheur:

> «Jean Renart ne discute pas sur la condition de cette classe sociale qui est en train de s'installer. Mais il la perçoit très lucidement dans un monde bigarré et, très intelligemment, par petites touches, il en capte quelques aspects. Pour lui, le bourgeois est assurément un marchand; c'est aussi un hôtelier. Mais avant tout, c'est un manipulateur d'argent, et cela aussi bien dans l'est wallon qu'en Rhénanie où son statut apparaît plus large, plus assuré; de part et d'autre, il prête des fonds ou fait crédit à la petite noblesse besogneuse des vavasseurs. L'importance de Mayence se révèle avec sa place du change où les comptoirs sont tenus par des bourgeois. A Saint-Trond comme à Mayence, les bourgeois font commerce à des étrangers de leurs propres demeures, spacieuses, confortables, bien faites pour retenir l'hôte de passage. Les femmes, épouses ou filles, sont spécialement affectées au soin et au charme de ces logements».

D'ailleurs, celui qui peut passer pour le héros du roman,

Guillaume, est un petit chevalier qui, habitant un *plessié* (784), une *vile entor plessiee* (1287), est *bien dignes d'un roiaume* (2977) et dont la situation modeste n'empêche pas qu'il vive dans l'aisance:

> Fet Jouglés: «Onques ne pot pestre
> de sa terre. VI. escuiers
> puis qu'il fu primes chevaliers,
> et s'est et a gris et a ver
> toz tenz, et esté et iver,
> et a soi tiers de compegnons;
> car ses granz pris et ses renons
> et ses granz cuers et sa proece
> le porvoit si bien et adrece
> qu'il a terre et avoir assez (763-772).

Ce qui incite Michel Zink à écrire qu'«à ses yeux, Guillaume de Dole pouvait apparaître comme une revanche littéraire et son histoire comme le récit de son rêve»[38].

III

Si Jean Renart accorde une telle place à la petite chevalerie et à la bourgeoisie, sans doute est-ce par souci de réalisme, mais aussi parce qu'il prône une morale qui rencontre les intérêts des ménestrels et qui est d'abord une morale de la générosité, voire de la prodigalité, dont le romancier regrette la disparition (553-556) et qu'il oppose à l'envie du sénéchal (3204-3209). Tout au long du roman, les dons constituent une sorte de leitmotiv. Tout le monde donne, riches et moins riches. L'empereur montre l'exemple, qui distribue aux chevaliers, aux vieux vavasseurs, aux veuves, *robes et avoir* (91), *joiax, dras de soie et destriers a grant plenté*, et dont à toute saison *estoit sa corz granz et pleniere*, invitant à sept journées à la ronde, sans se soucier de la dépense,

> por ce qu'il veut qu'il soit retret,
> quant il ert morz, aprés sa vie (152-153).

Au moment du départ, il comble chacun de cadeaux:

> Quant cil qu'il avoit amassez
> voelent raler en lor païs,   560
> lors venoient, ce m'est avis,
> si biau present et si biau don
> et joiau de mainte façon
> qu'il done chascun et chascune.   564
> Il n'i avoit dame nesune
> ne pucele qui noient vaille
> cui il ne doinst, ainz que s'en aille,
> et fet chascune tant d'onor   568
> qu'il desert sa grace et s'amor.

A Jouglet qui vient de lui raconter les amours de la dame de Champagne et du chevalier de France, il donne un *mantel gris* (723), puis *la cote dont il avoit ja le mantel* (875). *Li gentils rois* (1895) envoie à Guillaume un superbe heaume. *V.C. livres de coulognois* (1896), à ses compagnons deux très beaux *destriers de pris* (1900) et deux *granz coupes d'argent* (1901), et l'auteur de préciser:

> Mout vaut uns biaus dons sanz promesse,
> et mout fet bien qui s'en porpense (1906-1907).

Et, au lendemain du tournoi,

> «l'empereur qui avait suivi tout le tournoi jusqu'au soir, s'en alla, à la requête de ses conseillers, pour régler une affaire de son ressort. Sa noblesse de cœur le poussa, cette nuit-là, à accomplir un acte généreux et glorieux qui accrut considérablement son prestige en France: n'envoya-t-il pas dans l'un et l'autre camps ses sénéchaux avec ses chevaux chargés d'or et d'argent pour racheter les gages de tous ceux qui acceptèrent son offre ? Il n'est aujourd'hui aucun roi qui ne préférerait être brûlé vif plutôt que de faire un acte de ce genre qui coûta à l'empereur jusqu'à dix mille marcs. On en parle encore maintenant»[39].

A sa suite, on rivalise à qui mieux mieux de générosité:

> Tant garnement, tant riche ator
> i ot doné, ainz l'endemain,
> nus ne s'en vet a vuide main
> qui i fust venuz por avoir.   5492

> Li baron, qui voustrent avoir
> li bon gré de l'empereor,
> i donerent tant por s'amor
> chapes, sorcos, cotes, mantiaus,   5496
> qui eüst tant de blans buriaus,
> s'en peüst on vestir. III. ans
> les renduz° d'Igni et d'Oscans.   °oblats
> Mout en i ot doné plenté.   5500

De même, Guillaume, avant de partir pour la cour impériale, *de deduiz de chevaux, d'avoir/ fit a chascun sa volenté* (1268-1269); il donne au chambellan de l'empereur un surcot (1816-1822), à son hôte un manteau de voyage, à son hôtesse un *fermail*, à leur fille une ceinture, à Jouglet sa robe d'hermine (18787-1879) , à sa sœur

> une corroie et un fermail;
> si ot ovoec, en un fambail°,   °coffret, étui
> .CCC. livres de cel argent
> por paier la menue gent
> et as borjois cui il devoit (1931-1935).

Guillaume qui mérite d'être appelé *cel bon chevalier/ qui tot despent et abandone* (2186-2187)

> Cel avoir qui vient de Deu done (2188).

Plus tard,

> Par biaus dons, en bone amistié,
> se departi de ses borjois
> cil Guillaumes, li tres cortois,   2952
> qu'il nel seüst autrement fere,
> si renvoia a son repere
> et ses genz et ses conpegnons,
> riches de gaains et de dons.   2956

On pourrait faire les mêmes remarques de tous les personnages du roman.

Bref, donner en toutes circonstances, spontanément, est le seul moyen d'acquérir une gloire durable[40], sans que l'on risque de se ruiner, car, affirme le chambellan de l'empereur à propos de Guillaume,

> «........N'aiez garde,
> sire, qu'il en avra assez:

> mout est as borjois bel et sez   1884
> quant il vient emprunter le lor,
> qu'il lor done et fet grant honor,
> et si sont bien a point paié...»

en sorte que Conrad peut conclure: *si est rois qui puet doner rien* (1890).

Cette générosité s'exerce dans un univers de richesse et de beauté[41], d'élégance et de raffinement[42], où l'on vit *a largeté et sanz dangier* (2011), dans une profusion de vêtement luxueux[43] et en particulier de manteaux, symbole du loisir et du divertissement[44], de pierres précieuses[45], en sorte qu'un heaume devient un bel objet que l'on admire, de guirlandes et de couronnes[46], de mets délicieux[47], de lumières éclatantes[48], de somptueux cortèges[49], en accord avec une nature généreuse et colorée[50] et des sites ravissants[51], en sorte que Mme R. Lejeune a pu parler d'une œuvre «gourmande de bonne chère, de bons vins et de joyeux propos»[52].

Dans ce monde de la prodigalité, au service de la jouissance amoureuse, sourd un érotisme discret qui anime tout le roman, dès le début - c'est une profession de foi - quand dames et chevaliers *qui ne prisent mauvais dangier* (288), «qui font fi de toute fausse pudeur», se rejoignent sous les tentes où *mout orent tuit de lor aveaus* (228) «désirs», et que les seconds empruntent aux premières «en guise de serviettes, leurs blanches chemises et profitent de l'occasion pour poser la main sur mainte blanche cuisse» (278-281). Toute la seconde partie du roman, organisée autour du motif de la rose rouge sur la blanche cuisse de Liénor, n'est pas sans rappeler la rose du *Roman de la Rose* de Guillaume de Lorris, symbole entre autres de l'amour, comme l'a bien senti M. Zink[53]:

> «C'est que la marque, la rose rouge sur la cuisse de Lïenor, au lieu d'être passée sous silence, de même qu'elle est cachée sous les vêtements et cachée avec Liénor au fond de la chambre des dames, où nul homme ne pénètre lors de la présence de Guillaume, est constamment désignée, pour le pire, mais

aussi pour le meilleur, et désignée par celles-là mêmes qui devraient être incapables d'en parler, que la pudeur devrait rendre muettes, Lïenor et sa mère».

De son côté, l'héroïne n'ignore pas l'art de mettre en valeur sa beauté:

> Por sa gorge parembelir
> mist un fermail a sa chemise,
> ouvré par grande maiestrise,
> riche d'or et bel de feture,   4376
> basset, et plain doi d'overture,
> et si que la poitrine blanche
> assez plus que n'est noif sor branche
> li parut, qui mout l'amenda.

Rien donc de compassé ni d'austère, mais une joie constante qui s'exprime en particulier par des chants et des danses, dans une atmosphère de fête, à l'exemple de Guillaume *qui n'a pas la chiere morne* (2618) et de l'empereur qui refuse de s'ennuyer (1970-1975) et dont la gaieté, présentée comme un trait distinctif (75), est communicative:

> N'i a chevalier ne s'enhait
> por l'emperere qui s'envoise (379-380).

Il est remarquable que, lorsque Jouglet s'adresse à Guillaume, il place le *deduit* et le *solaz* avant la *grant proece* (1478-1479). La tristesse est à bannir, car

> prodom ne gaagne rien
> en fere doel qui riens ne vaut (3622-3623).

Il faut rechercher une *gent sans anui*: l'expression qui désigne un entourage agréable, revient trois fois pour désigner les compagnons de Guillaume (1074-1077) ou de l'empereur (1326-1327), ainsi que les spectateurs de la fête (2528). Dans cet afflux extraordinaire de chevaliers et de dames (2082-2085), on ne dédaigne pas l'exubérance et le débordement du plaisir que marquent des mots comme *barnage, rage* (1379, 2358), *temoute* (2508), *noise* (2411, 2963) et que reflète la variété même du roman:

> Dex ! tant i ot la nuit gasté
> en outrage et en lecherie,
> ainz que la granz chevalerie
> peüst demi estre ostelee ! (2120-2173)
>
> ....
> Mout avoit de hustin laienz
> de hyraus, de menestereus (2182-2183).

Certains passages constituent un véritable florilège de la joie:

> Cil s'en vet, et li rois remaint
> mout hetiez, et par laienz maint
> por feste dou bon bacheler   1444
> que Jouglez devoit amener
> qui a l'ostel ala poroec.
> Se sa suer venist or ovoec,
> dont par fust la joie pleniere.   1448
> Si iert liez d'estrange maniere
> li rois qu'il ne puet estre en lieu.
> La chançon Renaut de Baujieu,
> De Rencien le bon chevalier,   1452
> por son cors plus esleecier,
> de joie dou bon bacheler
> conmença lués droit a chanter...

C'est un des titres de gloire de Guillaume que de susciter une telle animation:

> Ce li venoit mout de grant sen,   2356
> qu'il veut q'en voie le barnage
> en son hostel, et la grant rage
> et la grant joie q'en i maine.

L'on comprend pourquoi les ménestrels et les jongleurs sont nécessaires. Cette vitalité, que manifestent des emplois absolus du verbe *vivre* (2759, 3323)[54], convient mieux à la jeunesse qu'à un âge plus avancé, de là des flèches contre les *vieux chenus croupoiers*[55] et une remarque peu flatteuse sur la mère de Liénor, sans toutefois que nous décelions l'hostilité qui apparaît dans les *lais* de Marie de France ou le *Vair Palefroi*, ni que les gens âgés soient exclus, témoin le festin où le roi cède le pas au vieux duc de Genève (349-356).

Ainsi Jean Renart donne-t-il un contenu particulier au mot *prodome*[56] qui représente cette autre morale et qu'incarnent ses héros (Guillaume et l'empereur, 1323, 5647), présentés comme supérieurs à tous ceux qui les ont précédés, fussent-ils Roland, Vivien, Perceval, Alexandre.

Le *prodome*, soucieux de sa gloire et de son honneur (2924, 2938, 2943), cherche à obtenir un renom durable (5645-5652), par une activité souvent pénible:

> mout a de travail uns prodom (2053)...
> A grant paine quierent lor pris
> prodome de païs en autre (2938-2939),

et surtout par sa générosité qui l'incite à répandre les dons autour de lui alors que, pour lui-même, il se contente de peu (2188-2190), et à délivrer sans rançon les prisonniers (2922-2925, 2760-2763). Il tient peu à l'argent dont la perte ne l'affecte pas:

> Li vallez s'aperçoit lués bien
> que c'iert ou d'ami ou d'amie,
> que si prodons ne feïst mie   3800
> ne por perte ne por avoir
> tel doel.

Le souci de la gloire l'amène à faire attention à sa mise (2538-2545), à s'entourer d'une suite nombreuse et élégante:

> A tel honor, si fetement,
> ist li prodons de son ostel (2490-2491)[57],

attirant les regards et l'affection de tous (2548-2549) aussi bien que l'estime de son seigneur. Mesuré dans ses propos, sans une once de vantardise:

> Et il rot mout a ce mengier   1724
> parlé de ce tornoiement;
> et sachiez bien certainement
> qu'il i ot tex qui plus en dirent,
> ce sachiez bien, qu'il n'en firent,   1728
> et c'est a prodome mout let...

refusant de se complaire dans la tristesse (3622-3623), il est sociable, en particulier envers les bourgeois qu'il honore et rembourse à heure et à temps (1884-1887), encore qu'il soit hostile aux vilains et réserve ses faveurs aux *prodomes* (2926-2928)[58]. Les vavasseurs incarnent cet idéal de *prodomie* (4048-4059), s'opposant aux *garçons*, aux *mauvés*, aux *vilains* (éd. Lecoy, p. 19), à l'envieux sénéchal. Le chevalier n'est pas nécessairement un *prodome* (1603), mais on peut tout à la fois être *trop prodom* (2973), être *trop haus hom de lignage* (2975), avoir un grand *vasselage*, c'est-à-dire la valeur et les qualités de la noblesse. Mais le mot peut, semble-t-il, désigner uniquement l'importance sociale sans tenir compte des mérites, puisque Liénor désigne de ce terme le sénéchal (4280). Peut-être l'emploie-t-elle pour ne pas éveiller l'attention de son entourage.

Cette morale est à base de réalisme et de lucidité, ne s'en laissant pas conter et rapprochant le roman du fabliau. Jean Renart aime à suggérer l'envers du décor. Le tournoi terminé, le héros s'en revient tout bosselé de coups, *camoissiez et maz* (2869, 2958), vêtu d'un *povre gamboison* (2876) «vêtement rembourré sous l'armure», monté sur un roncin; de puissants comtes et de nobles barons s'en retournent à leurs hôtels,

> si batu et si dolereus,   2856
> et prison privé et estrange,
> qui la nuit se frotent au lange,
> chascuns un gamboison vestu,
> qu'il orent tot a net perdu   2860
> et lor chevax et lor harnués...

si bien qu'ils «apprécient beaucoup l'eau chaude pour baigner leurs cous meurtris qui avaient été durement frappés» (2904-2906). D'autres vont d'hôtel en hôtel à la recherche de leurs compagnons *por raiembre* ou *por ostagier* (2921), et sans la générosité de l'empereur, beaucoup se seraient déshonorés

> que borjois i sont mal paié
> et lor osteus raiens et pris (2936-2937).

Au comble de la douleur, Guillaume *bee la bouche come*

marvoiez (3784-3785). Sonde-t-il les reins et les cœurs, Jean Renart constate qu'un beau cadeau a une force irrésistible, qu'il *fet maint mal plet dire et fere* (3359), et que le désir surmonte tous les obstacles, car *plus tire cus que corde* (5300), ou, comme nous l'avons vu, que certains parlent plus qu'ils ne font.

Ce réalisme s'exprime dans un style plein d'humour, souvent truculent, dont les comparaisons nous plongent dans le concret et le quotidien. En voici quelques-unes, prises au hasard: le messager Nicole *estoit de fere messages/ assez plus duiz que bués d'arer* (902-903) et Jouglet *set mout bien com las bués marge* (1643); les compagnons de Guillaume se précipitent *tuit ensamble com estornel* (2669); les sangles et le harnais du cheval de Michel de Harnes se rompent *com une viez lasniere* (2743), la grosse lance de Guillaume est *plus roide d'un tinel* (2738) «plus robuste qu'une massue», elle rappelle, avec un sourire de Jean Renart, le *tinel* du géant Rainoart, compagnon de Guillaume d'Orange; enfin, la vigueur des coups pourrait faire croire *que ce fust gieus de charpentiers* (2805). Les interventions de l'auteur sont du même style: ainsi quand il juge le comportement du sénéchal:

> por passer les chievres, les chous,
> sachiez qu'il n'estoit mie fous (3471-3472)
>
> . . . .
> Ahi ! com le gete ore puer
> de ce qu'il cuide bien savoir ! (3516-3517)

Dans le train de la vie quotidienne, les personnages ont coutume de plaisanter, témoin les propos par lesquels l'empereur accueille Jouglet (645-650) ou le sénéchal (3133-3144), ou bien ceux que Guilaume lance à Jouglet (2204-2209) ou encore les réflexions sur le repas offert par le héros (1306-1049; 1239-1255). L'expression *il vos guile* (1252), «il plaisante», caractérise bien ce genre de conversation[59].

*

On peut donc penser que Jean Renart était un ménestrel. Comme tel, il était en rapport avec le monde de la clergie, l'aristocratie et le peuple. De formation cléricale, R. Lejeune l'a montré[60], il vécut à la cour de puissants comme Hugues de Pierrepont dont il partagea les valeurs et les exigences poétiques, même s'il introduisit des nouveautés dans les unes et les autres. Aussi comprend-on qu'il ait constitué une anthologie du grand chant courtois. Mais il n'était pas toujours facile de devenir le ménestrel attitré d'un grand: auparavant, et longtemps souvent, il fallait, pour vivre, participer aux réjouissances populaires, en organiser les divertissements (Fêtes des fous, carnavals...), se mêler «à toutes les joyeuses abominations, danses, chants, représentations, festins, auxquelles on se livrait dans l'église même et qui scandalisaient si fort les gens graves»[61]. Ce faisant, Pierre Bec l'a bien senti[62],

> «les jongleurs orchestraient, et recueillaient aussi sans doute, toute une littérature orale et folklorisante (danse, musique, contes, chansons) dont ils devenaient ainsi les véritables détenteurs».

Ressortissent à ce dernier registre les chansons à danser, la fête de mai, voire le motif de la ripaille, même si celle-ci demeure tout à fait décente.

* * *

NOTES

1. M. Zink, *Roman rose et rose rouge. Le Roman de la Rose ou de Guillaume de Dole*, Paris, Nizet, 1979, p. 39: «...est-ce *le Roman de la Rose*, c'est-à-dire celui de Liënor, la jeune fille à la rose, ou celui de *Guillaume de Dole* ? En écoutant l'histoire de Jouglet, l'empereur n'était-il pas aussi désireux de rencontrer le vaillant chevalier que la belle dame ?» Cf. aussi p. 67.
2. *Le Cycle de la gageure*, dans *Romania*, t. 32, 1903, p. 489.
3. Sur les jongleurs et les ménestrels, voir les ouvrages classiques d'E. Faral, *Les Jongleurs en France au Moyen Age*, Paris, Champion, 1971 et de P. Bec, *La Lyrique française au moyen âge*, t. I, Paris, Picard, 1977, pp. 25-29 et notre notice dans *Rutebeuf. Poèmes de l'infortune et poèmes de la croisade*, Paris, Champion, 1979, pp. 21-29.
4. On notera que J. Renart emploie une fois le mot *jongleor* (1333) et six fois celui de *ménestrel* (1745, 2183, 2396, 2462, 3397, 4564).
5. M. Zink, *op. cit.* p. 119: «Et l'auteur, au milieu de son œuvre, comme le loup dans l'image, est à la fois plus caché et plus présent que dans la plupart des romans de son temps».
6. *Ibidem*, p. 39.
7. «Uns chanterres de vers Touart/ qui estoit au segnor de Hui...».
8. R. Lejeune, *l'Œuvre de Jean Renart...*, Paris-Liège, 1935, p. 168.
9. Vers 1643: «... *qui se mout bien com las bués marge*».
10. Qui fait par là-même son propre éloge; cf. M. Zink, *op. cit.*, p. 34.
11. Voir notre traduction, Paris, Champion, 1979, p. 21.
12. *Ibid.*, p. 17.
13. M. Zink, *op. cit.*, p. 32: «Jouglet vient de réussir ce que tous les barons de l'empire essayaient en vain d'obtenir depuis des années: que l'empereur tombe amoureux et ait envie de se marier. Mais il a réussi par le détour de la littérature».
14. Surtout de grands chants courtois de poètes connus, d'anonymes et de J. Renart lui-même.
15. Alors que Guillaume n'en chante qu'une (1301-1307).

16. R. Lejeune, *l'Esprit clérical et les curiosités intellectuelles de J. Renart dans Guillaume de Dole*, dans les *Travaux de linguistique et de littérature*, t. XI, I, 1973, p. 598.

17. *Idem, ibidem*, p. 599: «Le héros du *Roman de Renart* figure dans une expression toute faite accolée, comme par miracle, à une allusion à un escoufle - lisez le *Roman de l'Escoufle* de Jean Renart lui-même».

18. Voir P. Bec, *op. cit.*, p. 27.

19. Cf. l'ouvrage d'E. Köhler, *l'Aventure chevaleresque*, Paris, Gallimard, 1974.

20. R. Lejeune, *l'Œuvre de Jean Renart...*, p. 347: «Jean Renart n'est pas un esprit profondément religieux, comme l'auteur de *Galeran*, et nous avons vu, en définissant sa manière ironique et licencieuse, qu'il n'avait rien d'un moraliste».

21. *Ibidem*, p. 293.

22. Dans *Romania*, 1978, t. 99, p. 549.

23. R. Lejeune, *art. cit.*, pp. 593-594.

24. C'est l'art. cité note 16, p. 592.

25. R. Lejeune, *Le Roman de Guillaume de Dole et la Principauté de Liège*, dans les *Cahiers de Civilisation médiévale*, t. 17, I, 1974, p. 4: «Une difficulté, cependant: le v. 2376 fait allusion «au fils du comte de Maastricht». Or l'histoire n'attribue pas de fils à Hugues de Pierrepont. L'objection est-elle insurmontable ? On a rappelé plus haut la mondanité de Hugues. On a rappelé aussi qu'il avait été ordonné prêtre qu'en 1202, deux ans après son élection; un fils aurait donc fort bien pu lui naître dans sa jeunesse. Ou bien faut-il croire que le texe original donnait *niés* (comme au v. 5185) au lieu de *fils* ?»

26. R. Lejeune, *L'Esprit clérical...*, p. 593, qui continue: «Cette déclaration (*cf. les vers 5642-5643*), qui a toujours été considérée jusqu'ici comme fantaisiste, prend une valeur particulière quand on rapproche l'affabulation du roman, nettement centrée autour et alentour de la politique impériale guelfe, et la réalité historique: l'archevêque de Mayence Sigfrid II d'Eppstein joua lui aussi un rôle de premier plan, tout comme Hugues de Pierrepont dans l'accession d'Othon IV à l'Empire. Il est donc possible que l'auteur de *Guillaume de Dole*, rédigeant son roman pour un public averti de la principauté de Liège et vivant dans l'entourage de son prince évêque, ait connu une relation des événements de la Diète de 1208 commandée par Sigfrid II d'Eppstein, allié politique de Hugues et

148

que, cette relation, il l'ait appliquée - volontairement ou par mégarde - à l'histoire qu'il racontait».

27. M. Zink, *op. cit.*, p. 31: «L'empereur revient, non pas de guerre, mais d'une délicate mission de bons offices qui a mis fin à une guerre».

28. G.T. Diller (*Romania*, 1978, t. 99, pp. 540-543) a bien mis en évidence dans le portrait de l'empereur la part prépondérante de ce qu'il appelle le panneau central (vers 121-569), la fête galante, qui résume une tranche de vie plutôt qu'elle ne relate un épisode singulier.«...Dans ce texte, l'acte individuel - le chant, la caresse, le repas, les tours joués aux vieux jaloux - prend une valeur quasi rituelle, celle du geste mille fois répété tout au long d'une jeunesse».

29. *L'Oeuvre de Jean Renart...*, pp. 338-339.

30. G.T. Diller, *art. cit.*, p. 545.

31. Qui fournit, elle aussi, des images (1972).

32. M. Zink, *op. cit.*, p. 115: «Enfin, bien que les prouesses de Guillaume ne servent pas à grand-chose et ne fassent guère que confirmer une situation acquise dès le départ, elles miment celles que l'empereur, s'il n'était pas empereur, aurait à accomplir pour conquérir Lïenor».

33. *Id. ibidem*, p. 28.

34. R. Lejeune, *L'Esprit «clérical»...*, p. 591.

35. *Art. cit.*, p. 547. cf. aussi p. 548: «Tout se passe donc comme si, dans *Guillaume de Dole*, les vertus militaires ayant trouvé leur vraie vocation dans la conduite de l'amour, il ne restait plus à la prouesse guerrière, à la vaillance mâle qu'une futilité, au mieux risible et comique, mais aussi, quelquefois, pernicieuse et destructrice».

36. R. Lejeune, dans le *Grundriss der Romanischen Literaturen des Mittelalters*, t. IV, le *Roman jusqu'à la fin du XIIIe s.*, Heidelberg, 1978, p. 443.

37. *Les bourgeois et la bourgeoisie au XIIIe siècle dans les œuvres littéraires de l'est wallon*, dans *Revue de l'Université de Bruxelles*, 1978/4, pp. 483-491.

38. *Op. cit.*, p. 20.

39. Voir notre traduction, p.59.

40. M. Zink, *op. cit.*, pp. 22 et 24.

41. Par ex., vers 361-364 et 1412-1420.

42. Vers 1317-18, 1574-75, 2492-99.

43. Vers 1530-33, 2194-2201, 5364-71.

44. Vers 3280-83, 4717-19, 5264-65.
45. Vers 255-257, 1666-68.
46. Vers 204-205, 1544-45, 2202-2203.
47. Vers 367-376, 479-482, 5449-5458: G. Charlier a remarqué que plus d'un vingtième des 5600 vers de *Guillaume de Dole* est consacré à des narrations quasi pantagruéliques. Peut-être est-ce l'indice que J. Renart avait eu faim avant de devenir le ménestrel attitré d'un grand.
48. Vers 2336-2343, 2892-2893.
49. Vers 2432-36, 2455-2491, 2630-2641.
50. Vers 268-271.
51. Vers 1975 et 1981.
52. *L'Esprit clérical...*, p. 489; cf. aussi art. du *Grundriss*, p. 442.
53. *Op. cit.*, p. 49; voir aussi p. 53.
54. Cf. P. Le Gentil, *A propos de Guillaume de Dole*, dans les *Mélanges Delbouille*, Gembloux, 1964, t. II, pp. 381-382.
55. R. Lejeune, *L'Œuvre de Jean Renart, passim.*
56. Pour l'étude de ce mot, voir l'ouvrage d'E. Köhler, et notre note dans la trad. du *Vair Palefroi*, Paris, Champion, 1977, pp. 38-40.
57. Cf. aussi 2050-53.
58. Le neveu, quant à lui, estime qu'un *prodome* ne doit pas attacher une trop grande importance aux femmes.
59. Ce qui a amené G.T. Diller à conclure pour sa part (*Romania*, 1978, t. 99, p. 549): «...la vitalité de l'œuvre ne se trouverait-elle pas au *carrefour* de la robuste réalité - les échanges à bâtons rompus entre Conrad et Jouglet, par exemple - et de l'envahissant scepticisme du narrateur ?» Ailleurs (*Romania*, 1977, t. 97, pp. 394-395), G.T. Diller parle de «la distance que Conrad interpose entre lui et la séduction de l'idéal rêvé... Cette distance se présente sous la forme d'interventions ironiques et désinvoltes partout dans le texte, et devient particulièrement sensible, dans la dernière partie du roman où sont décrits l'entrée triomphale de Liénor dans Mayence et son mariage avec Conrad».
60. Dans son article intitulé *L'esprit «clérical» et les curiosités intellectuelles de Jean Renart dans le Roman de Guillaume de Dole.*
61. E. Faral, les *Jongleurs...*, p. 88.
62. *Op. cit.*, t. I, p. 26.

BIBLIOGRAPHIE

I. ÉDITIONS

L'édition utilisée est celle de F. Lecoy, publiée dans les *Classiques français* du *moyen âge*, Paris, Champion, 1962, n° 91.

Mais les éditions plus anciennes de G. Servois (*le Roman de la Rose ou de Guillaume de Dole, publié d'après le manuscrit du Vatican*, Paris, SATF, 1893) et de R. Lejeune (*le Roman de la Rose ou de Guillaume de Dole de Jean Renart*, Paris, 1936) peuvent encore procurer de très utiles indications.

II. *Concordancier complet des formes graphiques occurrentes du Roman de la Rose ou de Guillaume de Dole de Jean Renart*, établi par G. Andrieu, J. Piolle et M. Plouzeau, C.R.E.L. - C.U.E.R.M.A., Aix-en-Provence et H. Champion, Paris, 1978.

III. ÉTUDES

a) Livres:

P. BEC, *La lyrique française au moyen âge (12-13èmes siècles). Contribution à une typologie des genres poétiques médiévaux*, 2 vol., Paris, 1977.

P.H. BEEKMAN, *Jean Renart and his Writings*, diss. Columbia, New York-Paris, 1935.

C. CREMONESI, *Jean Renart, romanziere del XIII secolo*, Milan, 1950.

R. LEJEUNE, *L'œuvre de Jean Renart, contribution à l'étude du genre romanesque au moyen âge*, Paris-Liège, 1935 (Reproduit par les Slatkine Reprints, Genève, 1968).

M. ZINK, *Roman rose et rose rouge. Le Roman de la Rose ou de Guillaume de Dole de Jean Renart*, Paris, 1979.

b) Articles:

M. ACCARIE, *La Fonction des chansons dans Guillaume de Dole*, dans *Mélanges J. Larmat*, Nice, 1982, pp. 13-29; *Courtoisie et Fine Amors dans le Guillaume de Dole*, dans *Razo*, n° 3, 1982, pp. 7-16.

E. BAUMGARTNER, *Les citations lyriques dans le Roman de la Rose de Jean Renart*, dans *Romance Philology*, t. 35, 1981, pp. 260-266.

G.E. BRERETON, *Une étiquette royale au moyen âge.- Guillaume de Dole et le Ménagier de Paris*, dans le *Moyen Age*, t. 64, 1958, pp. 395-397.

J. CERQUIGLINI, *Pour une typologie de l'insertion*, dans *Perspectives médiévales*, n° 3, 1977, pp. 9-14.

G. CHARLIER, *L'Escoufle et Guillaume de Dole*, dans les *Mélanges M. Wilmotte*, Paris, 1910, t. 1, pp. 81 et s.

M.L. CHÊNERIE, *L'épisode du tournoi dans Guillaume de Dole. Etude littéraire*, dans la *Revue des langues romanes*, t. 83, 1979, p. 41-62.

M. DELBOUILLE, *Sur les traces de Bele Aëlis*, dans les *Mélanges J. Boutière*, Liège, 1971, t. 1, pp. 199-218.

R. DERCHE, *Etudes de textes français. Nouvelle série. I. Moyen Age*, pp. 115-157: *Sur le roman de la rose ou de Guillaume de Dole*, Paris, 1964.

G.T. DILLER, *Remarques sur la structure esthétique du Guillaume de Dole*, dans *Romania*, t. 98, 1977, pp. 390-398; *Techniques de contraste dans Guillaume de Dole, ibidem*, t. 99, 1978, pp. 538-549.

R. DRAGONETTI, *Le Mirage des sources. L'art du faux dans le roman médiéval*, Paris, 1987, pp. 151-199.

J. DUFOURNET, notice sur Jean Renart, dans le *Dictionnaire des littératures de langue française*, Paris, Bordas, 1984, t. III, pp. 1896-1898.

E. FARAL, *Les chansons de toile ou chansons d'histoire, Romania*, t. 69, 1946-47, pp. 433-462.

A. FOURRIER, *Les armoiries de l'empereur dans Guillaume de Dole*, dans *Mélanges R. Lejeune*, Gembloux, 1969, t. II, pp. 1211-1226.

Gr. FRANK, *Le Roman de la Rose ou de Guillaume de Dole*, dans *Romanic Review*, t. 29, 1938, pp. 209-211.

F. GEGOU, *Jean Renart et la lyrique occitane*, dans les *Mélanges P. Le Gentil*, Paris, 1973, pp. 319-323.

E.A. HINSTORFF, *Kulturgeschichten im Roman de l'Escoufle und im Roman de la Rose ou de Guillaume de Dole*, Darmstadt, 1896.

E. HOEPFFNER, *Les Lais de Marie de France dans Galeran de Bretagne et Guillaume de Dole*, dans *Romania*, t. 56, 1930, pp. 212-236.

A. JEANROY, *Les origines de la poésie lyrique en France au Moyen Age*, Paris, 1889, 3ème éd., 1925.

M.R. JUNG, *L'empereur Conrad, chanteur de poésie lyrique - Fiction et vérité dans le Roman de la Rose de Jean Renart*, dans *Romania*, t. 101, 1980, pp. 35-50.

V.F. KOENIG, *Jean Renart and the authorship of Galeran de Bretagne*, dans *Modern Language Notes*, t. 49, 1934, pp. 248-255; *Guillaume de Dole and Guillaume de Nevers*, dans *Modern Philology*, t. 45, 1948, pp. 145-151.

A. LANLY, *Notes sur deux textes d'ancien français,* dans les *Mélanges J. Frappier,* Genève, 1971, t. II, pp. 561-563.

F. LECOY, *Sur quelques passages difficiles de Guillaume de Dole,* dans *Romania,* t. 82, 1961, pp. 244-260; *Sur la date de Guillaume de Dole, ibidem,* pp. 379-402.

G. LEGENDRE, *Etude descriptive du vocabulaire de Jean Renart,* thèse de 3ème cycle, Strasbourg II, 1973, 3 vol.

P. LE GENTIL, *A propos de Guillaume de Dole,* dans les *Mélanges M. Delbouille,* Gembloux, 1964, t. II, pp.381-397.

R. LEPELLEY, *Déterminants et détermination des substantifs en ancien français. Etude portant sur les vers 3632 à 3736 du Roman de Guillaume de Dole,* dans *l'Information grammaticale,* no 4, janvier 1980, pp. 27-31.

R. LEJEUNE, *L'esprit «clérical» et les curiosités intellectuelles de Jean Renart dans le roman de Guillaume de Dole,* dans les *Travaux de linguistique et de littérature,* t. II, 1973, pp. 589-601; *Le Roman de Guillaume de Dole et la principauté de Liège,* dans les *Cahiers de Civilisation médiévale,* t. 18, 1974, pp. 1-24; *Jean Renart et le roman réaliste au 13ème siècle,* dans *Grundriss der Romanischen Literaturen des Mittelalters,* IV/I, pp. 400-453, Heidelberg, Carl Winter, 1978; *Les Bourgeois et la bourgeoisie au 13ème siècle dans les œuvres littéraires de l'est wallon,* dans la *Revue de l'Université de Bruxelles,* 1978, no 4, pp. 483-491.

Cl. LEVY, *Un nouveau texte de Jean Renart* dans *Romania,* t. 99, 1978, pp. 405-406.

L.F. LOWE, *Die Sprache des «Roman de la Rose ou Guillaume de Dole»,* dissertation de Göttingen, 1903.

F. LYONS, *Les éléments descriptifs dans le roman d'aventure au 13ème siècle,* ch. 5, *Guillaume de Dole par Jean Renart,* Genève, 1965, pp. 108-132.

C. MATTIOLI, *Per la datazione del Guillaume de Dole*, dans *Cultura Neolatina*, t. 25, 1965, pp. 91-112.

Ch. MULLER, *Moyens statistiques et problèmes d'attribution de textes anonymes. A propos d'une recherche sur Jean Renart*, dans *Etudes de linguistique appliquée*, t. 6, avril-juin 1972, pp. 107-115.

A. MUSSAFIA, *Zur Kritik und Interpretation romanischer Texte: Guillaume de Dole*, dans *Sitzungsberichte der Wiener Akad. Der Wissenschaften, Phil.-Hist. Klasse*, t. 136, Vienne, 1897.

G. PARIS, *Le cycle de la gageure*, dans *Romania*, t. 32, 1903, pp. 481-551.

J.Ch. PAYEN, *Structure et sens de Guillaume de Dole*, dans les *Mélanges Lecoy*, Paris, 1973, pp. 483-498; *la Destruction des mythes courtois*, dans la *Revue des langues romanes*, t. 78, 1969, pp. 213 et s.; *Lancelot contre Tristan, ou la conjuration d'un mythe subversif*, dans les *Mélanges P. Le Gentil*, Paris, 1973, pp. 617-632; *A propos de Guillaume de Dole* dans *Romania*, t. 84, 1963, pp. 112 et s.; 376-380.

H. REY-FLAUD, *La Névrose courtoise*, Paris, Navarin, 1983, pp. 77-104.

L.A. VIGNERAS, *Sur la date de Guillaume de Dole*, dans *Romanic Review*, t. 28, 1937, pp. 109-121; *Notes sur Guillaume de Dole*, dans *Modern Language Notes*, t. 52, 1937, pp. 87-89.

F.M. WARREN, *The Works of Jean Renart, poet, and their relation to Galeran de Bretagne*, dans *Modern Language Notes*, t. 23, 1908, pp. 69-73 et 97-100 (c.r. de P. Meyer, dans *Romania*, t. 37, 1908, pp. 482-488).

H. WILLIAMS, *The Chronology of Jehan Renart's Works*, dans *Romance Philology*, 1955-1956, pp. 222-224.

M. ZINK, *Belle. Essai sur les chansons de toile, suivi d'une édition et d'une traduction*, Paris, 1978; *Le Premier Type: de l'alternance à l'insertion*, dans *Perspectives médiévales*, no 3, 1977, pp. 15-20.

IV. AUTRES OEUVRES DE JEAN RENART

L'Escoufle, roman d'aventure, éd. par Fr. Sweetser, Genève-Paris, Droz, 1974 (T.L.F.).

Le Lai de l'Ombre, éd. par J. Bédier, Paris, Champion, 1913; et par F. Lecoy, Paris, Champion, 1979 (C.F.M.A.)..

V. OEUVRE ATTRIBUÉE AUTREFOIS ET À TORT À JEAN RENART

Galeran de Bretagne, éd. par L. Foulet, Paris, Champion, 1925 (C.F.M.A.).

NOMS DE LIEUX CITÉS DANS GUILLAUME DE DOLE

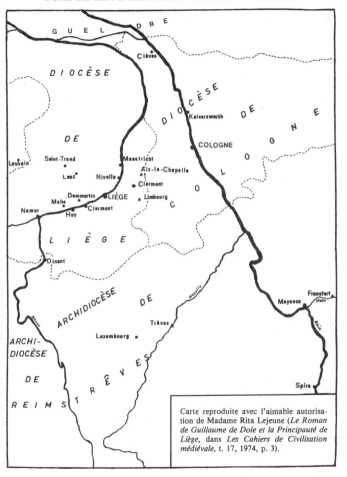

Carte reproduite avec l'aimable autorisation de Madame Rita Lejeune (*Le Roman de Guillaume de Dole et la Principauté de Liège*, dans *Les Cahiers de Civilisation médiévale*, t. 17, 1974, p. 3).

Compléments, corrections
et propositions nouvelles

P. 7, ligne 4, vers 6. - *Biaus* est plutôt à rendre par «noble», selon Madame Rita Lejeune dont nous reprenons un certain nombre de suggestions que nous signalons par les lettres (R.L.).

P. 8, lignes 9-10, vers 70-72. - Selon G.T. Diller (*Romania*, 1978, t. 99, p. 546), «on peut se demander si la juxtaposition à deux vers près des deux figures zoomorphes ne répond pas à une intention d'amusement verbal plutôt qu'à une profonde conviction de la vaillance de l'empereur».

P. 9, lignes 2-4, vers 121-124. - Ces vers seraient mieux rendus pas: «Comme il n'avait pas encore d'épouse (malgré le désir pressant de ses sujets), ses grands vassaux en parlaient tous entre eux» (R.L.).

P. 10, lignes 20-21, vers 216-217. - «Peu leur importe si ceux qui sont allés au bois s'attardent» (R.L.).

P. 13, lignes 7-8, vers 373-374. - Madame Jeanne Wathelet-Willem, dans une lettre du 29 août 1979, nous a apporté les précisions suivantes: «Il y a en Belgique, à l'est de Liège, une région que l'on appelle le plateau de Herve. C'est un petit coin charmant au relief doucement vallonné, qui est couvert de prairies plantées d'arbres fruitiers. Le paysage est très joli au début du printemps quand cerisiers et pommiers sont en fleurs. C'est une région qui produit des fruits, mais où l'on pratique l'élevage et fabrique du beurre et... du fromage. Celui-ci, connu sous le nom de «fromage de Herve», est onctueux et fort odorant. Parmi les fromages français, c'est au Maroilles que je le comparerais le plus volontiers. Si Herve est la petite ville principale de la région, il en est d'autres comme Aubel... et une petite localité, nommée Clermont sur la Berwine, affluent ou sous-affluent de la Meuse. Comme l'action se déroule manifestement dans la région «du Liège», l'identification me paraît certaine. Ce même fromage est d'ailleurs illustré par un autre écrit, beaucoup plus proche de nous. Il s'agit d'une des innombrables histoires que l'humoriste anglais Jérôme K. Jérôme raconte dans *Three men in a boat*. Un voyageur anglais a voulu rapporter jusqu'à Liverpool un «limburger cheese», mais, en raison de l'odeur qui va croissant avec la maturation du fromage, il a les pires ennuis, notamment les chevaux du fiacre où il a pris place s'emballent pour fuir cette odeur et, si mes souvenirs sont exacts, le malheureux transporteur n'a d'autre ressource que d'enterrer son fromage dans son jardin ! Or Limbourg est une petite localité, fort pittoresque d'ailleurs, de la même région».

P. 15, ligne 21, vers 522. - *Olive* est à rendre ici par «olivaie».

P. 19, lignes 18-20, vers 736-738. - G.T. Diller (*Romania*, 1977, t. 98, p. 393) propose de supprimer les deux points après *ne di ge mie* et de comprendre: «En ce qui concerne la dame, je ne dis pas que je mourrai de son absence, car en tout cas il n'existe pas dans mon royaume de beautés pareilles».

P. 24, ligne 21, vers 1008. - Mettre «un point d'exclamation... après «compagnie», la remarque étant ironique. D'une façon générale, je crois à la nécessité de ponctuer fortement le roman» (R.L.).

P. 30, ligne 20, vers 1287. - La traduction de *vile entor plessiee* par «bourg fortifié» n'est pas excellente, si l'on se représente exactement le contenu du verbe *plessier*, comme on peut le faire maintenant grâce à l'excellent ouvrage de Claude Régnier, *les Parlers du Morvan*, 3 vol., Château-Chinon, Académie du Morvan, 1979. Voici quelques passages singulièrement éclairants (t. I, pp. 175-177): «Voici la façon la plus courante de régénérer les haies. Par une journée d'hiver, deux ouvriers se placent de part et d'autre de la vieille haie; ils commencent par enlever les ronces et le bois mort... afin d'atteindre le cœur de la haie (que certains appellent le père plant); puis ils enfoncent des pieux... à un mètre environ les uns des autres; si un arbuste se trouve à bonne distance, ils profitent de l'occasion et l'étêtent à hauteur voulue (1,20 m.), obtenant ainsi un pieu vif appelé quenouille... en Côte-d'Or..., puis ils incisent au pied les gros arbustes afin de pouvoir les incliner et les entrelacer autour des pieux; comme les arbustes ne sont pas complètement détachés de la souche, la sève y circulera au printemps avec une vigueur accrue et les rejets pousseront verticalement, formant un rempart infranchissable...

...l'opération s'appelle *plaisser* ou *coucher la haie*.

Le verbe *plaisser* a un sens général: *plaisser une haie*, c'est la régénérer complètement par opposition à la simple taille; il a aussi un sens plus précis: *plaisser un arbuste*, c'est l'inciser au pied et l'incliner; le mot est senti comme signifiant «incliner, coucher».

P. 31, lignes 13-15, vers 1332-1334. - On peut comprendre aussi: «Ce jour-là, il faisait chanter la sœur d'un jongleur très habile qui d'ordinaire chante cette laisse».

P. 33, ligne 12, vers 1413. - On peut mettre un point d'exclamation ironique après *Comment !* (R.L.).

P. 43, ligne 28, ves 1975. - Maëstricht (auj. Maastricht) était appelé au Moyen Age Tref-sur-Meuse. Ce toponyme roman avait encore cours à l'époque de la composition du roman.

P. 43, 45, 51, etc... - Il s'agit non pas *de* Liège, la ville mais *du* Liège, le pays, la principauté.

P. 47, ligne 5, vers 2169. - Il est plutôt question de parler le tudesque. «Cette pratique amène plusieurs fois un sourire amusé sur les lèvres d'un auteur écrivant pour le monde courtois. Il appelle cela «tiescher» (parler le tudesque). De hauts barons, à la Diète de Mayence, vont ainsi «tieschant» (v. 4664). On «tiesche» bien plus encore à Saint-Trond, «come maufé» (v. 2169), c'est-à-dire comme des diables (expression plaisante conservée dans le pays liégeois où l'on dit encore, en wallon, «tîhner come des dannés», «parler flamand comme des damnés») (Rita Lejeune, *Le Roman de Guillaume de Dole...*, p. 15). Pour d'autres allusions ironiques aux Allemands, voir les vers 2210-2211, 2215, 2407-2408.

P. 51, ligne 13, vers 2366: Li biax Galerans de Lamborc. «...ce nom de lieu ne renvoie pas, comme on le dit trop souvent, à ce qu'est actuellement le territoire de la province de Limbourg en Belgique (cette province sur la rive *gauche* de la Meuse couvre en réalité l'ancien comté de Looz). Limbourg, ville ancienne, sur une hauteur dominant la Vesdre à l'est de Verviers, était la capitale du duché de Limbourg, situé sur la rive *droite* de la Meuse au nord du duché de Luxembourg. Ce duché englobait l'actuelle province de Limbourg en Hollande» (Rita Lejeune, *Le Roman de Guillaume de Dole...*, p. 7). Voir la carte, p. 157.

P. 52, ligne 7, vers 2404. - «Ce *tens de moustoisons* évoque le moût, suc destiné à la fermentation de la bière. A Saint-Trond, un droit spécial était perçu sur ce ferment: le *grutum* ou *scutum...*» (R. Lejeune, *Le Roman de Guillaume de Dole...*, p. 15).

P. 52, ligne 21, vers 2425: «Le *chastel* est-il le bourg ?» (R. Lejeune).

P. 54-55. - Pour la topographie de Saint-Trond, voir l'art. cité de R. Lejeune, pp. 12-16.

P. 54, ligne 23, vers 2539. - Nous avons traduit par «drap précieux» le mot *mustadole* que nous ne pouvons pas expliquer et dont nous n'avons pas d'autre exemple.

P. 54, ligne 29, vers 2546. - *Graelent Muer* est le héros d'un lai anonyme, que nous pouvons lire maintenant dans l'éd. de Pr. M. Tobin, *Les Lais anonymes des 12ᵉ et 13ᵉ siècles*, Genève, Droz, 1976.

P. 55, ligne 35, vers 2608: li quans d'Aloz. Il faut sans doute corriger *Alost* en *Loz*, comme le propose R. Lejeune (*art. cit.*, p. 7). Looz, situé à quelques kilomètres de Maastricht et de Saint-Trond, fut le centre d'un important comté qui relevait de la principauté de Liège.

P. 55, dernière ligne, v. 2617: on peut traduire «car c'est là le but de leur jeu».

P. 56, ligne 2, vers 2619. - Il serait plus précis de traduire: «et n'avait pas de plaques noires sur le visage». Le visage du héros est *frais*, et non *grumelé* (R. Lejeune).

P. 56, ligne 16, vers 2639. - On peut traduire plus rapidement l'interjection *queles* par «bravo !».

P. 58, ligne 22, vers 2782. - On peut supprimer «Je l'affirme» qui est une addition inutile.

P. 59, ligne 35, vers 2857-2859. - Notre traduction est trop elliptique. Nous proposons: «...se frottant la nuit à la laine de leur chemise, sans autre vêtement qu'un pourpoint...».

P. 62, ligne 26 et note 1, vers 3010-3011. - On peut songer à un autre sens: «Voici à quoi je pense depuis trois jours, car...»: ces deux vers annoncent le *Or sachiez* du vers 3016.

P. 67, ligne 2, vers 3254. - Notre traduction de *tot le bessié* par «sans tarder» demeure conjecturale, car l'expression est inconnue.

P. 72, ligne 32, ves 3540. - Il faut ajouter: «(le voir hier) sur sa monture».

P. 72, lignes 37-38, vers 3548-3549. - Il faut plutôt comprendre selon Michel Rousse: «Et si la beauté peut en tout honneur être un atout important pour épouser une femme...».

P. 73, ligne 18, vers 3579. - Mieux vaut traduire: «C'est par envie ou par malchance (*maleürtez*) que vous vous obstinez toujours à soutenir la plus mauvaise cause».

P. 73, ligne 23, vers 3589. - *Enseigne* a plutôt le sens de «preuve». Aussi faut-il comprendre: «...en lui affirmant qu'elle a une rose sur la cuisse, il lui en a donné une preuve indubitable».

P. 74, ligne 1, vers 3616. - Si nous avons traduit *la grant route* par «le gros de la troupe», c'est que le mot *route* a le sens de «troupe» partout où il est employé dans notre roman (vers 294, 842, 854, 2157, 2210, 2409, 2647, 2773, 2980).

P. 75, ligne 16, vers 3690. - On peut traduire *la hautece de cest roiaume* par «la dignité de ce royaume».

P. 76, lignes 1-2, vers 3723. - Pour Michel Rousse, il s'agit sans doute de la perte de «l'honneur», qui est un fief ou une dignité. «Il semble qu'à partir du moment où l'empereur a fait part de son intention, Léonore considère que cette «dignité lui appartient, et son frère de même (...) Ce sens de *perte* répond mieux, semble-t-il, à la discussion en cours aux vers 3718 et suivants: «Si Dieu lui a destiné cette dignité, elle n'est aucunement dans une mauvaise situation, ni dépréciée ni violée, au point d'y mériter le moindre risque de perdre cette dignité, ou d'y trouver le moindre risque de ne plus la mériter».

P. 76, ligne 1, vers 3722. - Ce vers a été omis: après *viol*, il faut introduire, entre parenthèses, la phrase suivante: «la mère de Dieu en soit louée !».

P. 76, lignes 13-14, vers 3740: par biau parler ne par proiere. L'empereur ne serait pas le sujet du *biau parler* et de la *proiere*, mais l'objet, en sorte qu'il faudrait comprendre: «...ne sachant pas comment, quels que soient les propos courtois ou les prières qu'on lui adresse, il pourrait se distraire de sa peine» (M. Rousse).

P. 76, ligne 32, vers 3766-3767. - Notre traduction suppose

que l'on mette un point après *rehetier*, et un point d'exclamation après *mains*.

P. 77, note 1, vers 3783. - A. Lanly (*Mélanges J. Frappier*,
t. II, pp. 562-563) a proposé une autre correction qui mérite
de retenir l'attention. Retouchant le texte publié par Servois
(*de qui ot fet la dessamblee*), il opte pour ce qui suit:

Ahi ! font ses genz d'Alemaigne,
de quex genz est la dessamblee !

et traduit par «Entre quels hommes (admirables), il y a
désunion», «Entre quels hommes s'est produite cette séparation !». A. Lanly justifie son texte en disant: «Ainsi le
vers 3783 nous paraît parfaitement intelligible et conforme à
la réflexion que peuvent faire des hommes attachés à la fois
à leur empereur et, d'une manière plus personnelle, à ce
jeune seigneur. Le mot *dessamblee* est un hapax... mais il
est parfaitement formé: c'est un participe passé féminin
comparable - et opposé - à *assemblée*, participe de *assem-
bler*. Le verbe *dessambler* est abondamment attesté et a le
sens de *séparer*. Ajoutons qu'ici le mot est heureux: ces
Allemands déplorent un état de fait; autant qu'ils sachent,
ce n'est pas une querelle, une brouille. Quel mot plus neutre
que *dessamblee* pour constater que les deux amis ne sont
plus *ensemble* comme ils l'étaient, qu'ils sont séparés, désu-
nis ? Le sénéchal s'était proposé de les «départir» (v. 3212).
Le poète n'a certainement pas oublié son mot: il ne pouvait
pas ici - à cause de la rime - employer *départie*. Il a créé *dessamblee* qui paraît être l'équivalent du précédent, aussi
expressif et facile à comprendre».

P. 78, note 1, vers 3851, come raïs. - La correction de P. Le
Gentil n'est pas nécessaire. En effet, M. Wilmotte avait
réglé le problème dans son compte rendu de l'édition de R.
Lejeune. Il s'agit d'un mot wallon *raïs* (auj. *rahis*, encore
très usité: «vieillerie, friperie, rebut», «homme de rien». Cf.
Jean Haust, *Dictionnaire liégeois*). C'est un dérivé de *rahî*
«râcler», «gratter». Liénor est donc une *râclure* (R.
Lejeune).

P. 79, lignes 14-18, vers 3887-3890. - On peut comprendre différemment: «Car jamais plus loyalement, il (*l'Amour*) ne fut ou ne sera aimé et servi. Aussi j'en avertis chacun: en me tuant, il s'est perdu».

P. 79, ligne 25, vrs 3897. - Il est préférable de traduire, dût la rime en souffrir, «que d'attendre la pendaison».

P. 79, ligne 27, vers 3901. - *Trahir* n'a pas ici le sens moderne, mais plutôt celui de «causer une douloureuse surprise».

P. 79, lignes 27-28, vers 3902-3903. - M. Rousse se pose la question: «Peut-on voir dans *pechiez* non pas tant l'acte que le résultat du péché, et en *de* une préposition indiquant non l'origine mais signifiant «au sujet de», i.e. «vous concerne, retombe sur vous ?» Le sens serait alors: «Tout le péché et tout le malheur retombent sur vous et votre frère». Autrement dit: «C'est vous qui en portez les conséquences et non le sénéchal qui est le traître et le félon».

P. 82, lignes 5-9, vers 4030-4035. - Mussafia proposait déjà de mettre entre tirets les vers 4032-4033 et de lier le vers 4034 au vers 4031. Michel Rousse reprend cette ponctuation et comprend: «...tout ce qu'il fait croire au roi, à savoir que je me retrouve entachée d'une faute qui m'écarterait désormais de l'honneur qui m'était destiné». Il convient de voir que «le verbe *perdre* est employé de façon intransitive par Liénor, il se peut qu'il soit plus général encore que de s'appliquer à la seule perte du titre d'impératrice, il ne peut s'appliquer à la perte de son pucelage qui appartient dans le récit au passé et il n'y a aucune raison pour elle de la lier à un futur (*en avant*). *Perdre* ici englobe peut-être la perte essentielle du titre d'impératrice, mais aussi toutes les conséquences de la situation...».

P. 82, note 1, vers 4035. - Sans doute faut-il préférer la traduction de P. Le Gentil à cause du passé composé et de l'allusion à la faute dont on l'accuse.

P. 83, lignes 8-9, vers 4086-4087. - Il vaut mieux comprendre: «En même temps qu'elle verse des larmes, Liénor prononce le nom de chacun et de chacune pour les recommander à Dieu».

P. 84, deuxième poème. - Il manque le 3e vers, le vers 4166, *Dames i ont bauz levez* «les dames ont ouvert le bal».

P. 84, ligne 26, vers 4173. - S'il est difficile d'admettre qu'*estres* signifie «balcons», il faut plutôt traduire: «Quand ils eurent bien chanté autour du mai, ils l'ont porté aux étages supérieurs et, l'ayant passé par les fenêtres, ils en ont décoré toute la façade du palais».

P. 85, lignes 6-9, vers 4205-4208. - Selon M. Meiller, *li qex que soit* (4208) se rapporte à *uns de cez autres escuiers* (v. 4206), en sorte qu'il faut plutôt traduire: «Madame, répondirent-ils, que l'un des écuyers, peu importe lequel, parte donc avec lui pour revenir - car c'est nécessaire - à notre rencontre».

P. 89, ligne 27, vers 4445. - La *robe* désigne le costume plutôt que la robe.

P. 90, ligne 17, vers 4484. - Plutôt que «de beaux palefrois», il faut «leurs beaux palefrois».

P. 92, dernière ligne, vers 4625. - *De si beles gens* est à traduire par «des gens aussi élégants».

P. 93, ligne 21, vers 4659. - On peut comprendre différemment le dernier vers: «car (d'ordinaire) elle (*la joie*) me guérit et tient le corps en santé».

P. 93, ligne 31, ves 4677. - *Nivelle* désigne Nivelle-sur-Meuse, aujourd'hui gros hameau de Lixhe, situé sur la rive gauche de la Meuse entre Visé et Maastricht. Le seigneur de Nivelle était l'évêque de Liège (R. Lejeune, *art. cit.*, p. 4).

P. 93, lignes 24-25, vers 4664. - *Tudesque* est préférable à *flamand*. Il faut «garder les expressions qui désignent la langue germanique de la Basse-Meuse ainsi que la région d'Aix-la-Chapelle. Autre réalité linguistique que maintenant» (R. Lejeune).

P. 96, lignes 4-5, vers 4765. - Notre traduction est trop rapide. Il faut suivre F. Lecoy (*éd. citée*, p. 185) selon qui le relatif se rattache au pronom *en* du v. 4764 et qui comprend: «Beaucoup ont versé des pleurs par compassion pour celle qui mouille de larmes son beau visage». Selon R. Ménage, il faudrait voir en *qui* du vers 4765 la première personne du verbe *cuidier* et traduire: «Il me semble bien qu'elle mouille de larmes son beau visage».

P. 96, lignes 21-22, vers 4792. - Pour Marcel Faure, «*l'*» de *l'amot* représente le sénéchal, et non Liénor. A partir de ces vers, l'empereur sera de plus en plus sensible à l'estime (*amor*) et à la reconnaissance qu'il doit au sénéchal pour les services rendus. Les deux notions qui apparaissent aux vers 4792 (*amot*) et 4875 (*il m'a bien servi*) seront reprises au vers 4915 par le sénéchal, *por ma deserte et por m'amor*. La seconde notion sera amplifiée aux vers 4922, 4954-4955, 4976... En tout cas, les vers 4954-4957 prouvent la sensibilité de l'empereur et son estime pour le sénéchal.

P. 97, ligne 15, vers 4845. - On peut comprendre: «car on n'attachera plus de foi à sa parole».

P. 102, lignes 28-29, vers 5127-5128. - Notre traduction, elliptique à l'excès, suppose une ponctuation différente de celle de l'éd. F. Lecoy: elle supprime la virgule à la fin du vers 5127, en sorte que nous avons une principale suivie d'une complétive.

Mais on peut conserver la ponctuation de F. Lecoy et comprendre différemment en faisant de la première proposition une oppositive et de la seconde la principale; ce qui donne: «Encore que la situation pût être bonne, peut-être le nouveau roi ne saurait-il pas vous traiter comme moi».

P. 103, ligne 35, vers 5190. - Mieux vaut traduire: «Les fraîches eaux suivent leurs cours, dociles...».

P. 107, ligne 20. - Les vers 5374-5375 n'ont pas été traduits: «Il y avait un reliquaire très renommé, je ne sais pas son origine».

P. 108, lignes 12 et 15, vers 5418 et 5421. - Il faut garder les mots d'*escoufle* et de *Renart* qui évoquent le titre d'une œuvre et le nom de l'auteur.

P. 108, ligne 23, vers 5421: «Vous ne viendrez pas danser dans les prés».

P. 109, ligne 35, ves 5499: «Les *renduz* ne sont pas des moines, mais des membres de la *familia* d'une abbaye. Il s'agit d'une sorte d'oblats agrégés à une communauté religieuse sans prononcer les vœux ni renoncer à l'habit laïque» (R. Lejeune, *L'esprit clérical...*, p. 595).

P. 112, note 1. - Il faut préciser que le mot du manuscrit que nous traduisons par «chiens» peut être lu *chiens* ou *chieus.*

TABLE DES MATIÈRES

Achevé d'imprimer en 1999
à Genève (Suisse)